每一个不曾起舞的日子，都是对生命的辜负；

每一个认真对待的日子，都将是美好的一天。

诗 与 远 方 系 列

▲

把每一天当成
人生奖赏

蒙田 叔本华 胡适 等著

时代出版传媒股份有限公司
北 京 时 代 华 文 书 局

图书在版编目（CIP）数据

把每一天当成人生奖赏 / (法) 蒙田等著 ; 方圃译 .
-- 北京 : 北京时代华文书局 , 2016.5
（诗与远方系列）
ISBN 978-7-5699-0896-1

Ⅰ . ①把… Ⅱ . ①蒙… ②方… Ⅲ . ①散文集－世界 Ⅳ . ① I16

中国版本图书馆 CIP 数据核字 (2016) 第 080812 号

把每一天当成人生奖赏

著　　者 | ［法］蒙田等
译　　者 | 方　圃

出 版 人 | 杨红卫
选题策划 | 陈丽杰
责任编辑 | 陈丽杰　李　争
装帧设计 | 龙　梅　段文辉
责任印制 | 刘　银　訾　敬

出版发行 | 时代出版传媒股份有限公司 http: //www.press-mart.com
北京时代华文书局 http: //www.bjsdsj.com.cn
北京市东城区安定门外大街 136 号皇城国际大厦 A 座 8 楼
邮编：100011　电话：010 - 64267955　64267677
印　　刷 | 北京富诚彩色印刷有限公司　010 - 60904806
（如发现印装质量问题，请与印刷厂联系调换）
开　　本 | 880mm×1230mm　1/32
印　　张 | 7
字　　数 | 230 千字
版　　次 | 2016 年 7 月第 1 版　　2018 年 7 月第 2 次印刷
书　　号 | ISBN 978-7-5699-0896-1

定　　价 | 36. 00 元

目录

CONTENTS

一
把生活当作一种艺术

二
用淡泊写意人生，用安然葱茏时光

三
追寻生命的真义

四
享受简单生活的乐趣

一
把生活当作一种艺术

生活不是很容易的事。动物那样的，自然地简易地生活，是其一法；把生活当作一种艺术，微妙地美地生活，又是一法。

把生活当作一种艺术

周作人

契诃夫（Tshekhob）书简集中有一节道（那时他在爱珲附近旅行），“我请一个中国人到酒店里喝烧酒，他在未饮之前举杯向着我和酒店主人及伙计们，说道‘请’。这是中国的礼节。他并不像我们那样的一饮而尽，却是一口一口的吸，每吸一口，吃一点东西；随后给我几个中国铜钱，表示感谢之意。这是一种怪有礼的民族……”

一口一口的吸，这的确是中国仅存的饮酒的艺术：干杯者不能知酒味，泥醉者不能知微醺之味。中国人对于饮食还知道一点享用之术，但是一般的生活之艺术却早已失传了。中国生活的方式现在只是两个极端，非禁欲即是纵欲，非连酒字都不准说即是浸身在酒槽里，二者互相反动，各益增长，而其结果则是同样的污糟。动物的生活本有自然的调节，中国在千年以前文化发达，一时颇有臻于灵肉一致之象，后来为禁欲思想所战胜，变成现在这样的生活，无自由、无节制，一切在礼教的面具底下实行迫压与放恣，实在所谓礼者早已消灭无存了。

生活不是很容易的事。动物那样的，自然地简易地生活，

是其一法；把生活当作一种艺术，微妙地美地生活，又是一法：二者之外别无道路，有之则是禽兽之下的乱调的生活了。生活之艺术只在禁欲与纵欲的调和。蔼理斯对于这个问题很有精到的意见，他排斥宗教的禁欲主义，但以为禁欲亦是人性的一面，欢乐与节制二者并存，且不相反而实相成。人有禁欲的倾向，即所以防欢乐的过量，并即以增欢乐的程度。他在《圣芳济与其他》一篇论文中曾说道，“有人以此二者（即禁欲与耽溺）之一为其生活之唯一目的者，其人将在尚未生活之前早已死了。有人先将其一（耽溺）推至极端，再转而之他，其人才真能了解人生是什么，日后将被记念为模范的高僧。但是始终尊重这二重理想者，那才

是知。生活法的明智的大师……一切生活是一个建设与破坏，一个取进与付出，一个永远的构成作用与分解作用的循环，要正当地生活，我们须得模仿大自然的豪华与严肃。”他又说过，“生活之艺术，其方法只在于微妙地混和取与舍二者而已，”更是简明的说出这个意思来了。

生活之艺术这个名词，用中国固有的字来说便是所谓礼。斯谛耳博士在《仪礼》序上说，礼节并不单是一套仪式，空虚无用，如后世所沿袭者。这是用以养成自制与整饬的动作之习惯，唯有能领解万物感受一切之心的人才有这样安详的容止。”从前听说辜鸿铭先生批评英文《礼记》译名的不妥当，以为“礼”不是Rite而是Art，当时觉得有点乖僻，其实却是对的，不过这是指本来的礼，后来的礼仪礼教都是堕落了的东西，不足当这个称呼了。中国的礼早已丧失，只有如上文所说，还略存于茶酒之间而已。去年有西人反对上海禁娼，以为妓院是中国文化所在的地方，这句话的确难免有点荒谬，但仔细想来也不无若干理由。我们不必拉扯唐代的官妓，希腊的“女友”（Hetaira）的韵事来作辩护，只想起某外人的警句，“中国挟妓如西洋的求婚，中国娶妻如西洋的宿娼”，或者不能不感到《爱之术》（*Ars Amaroria*）的真是只存在草野之间了。我们并不同某西人那样要保存妓院，只觉得在有些怪论里边，也常有真实存在罢了。

中国现在所切要的是一种新的自由与新的节制，去建造中国的新文明，也就是复兴千年前的旧文明，也就是与西方文化的基础之希腊文明相合一了。这些话或者说的太大太高了，但据我想舍此中国别无得救之道，宋以来的道学家的禁欲主义总是无用的了，因为这只足以助成纵欲而不能收调节之功。其实这生活的艺术在有礼节重中庸的中国本来不是什么新奇的事物，如《中庸》的起头说，“天命之谓性，率性之谓道，修道之谓教，”照我的解说即是很明白的这种主张。不过后代的人都只拿去讲章旨节旨，没有人实行罢了。我不是说半部《中庸》可以济世，但以表示中国可以了解这个思想。日本虽然也很受到宋学的影响，生活上却可以说是承受平安朝的系统；还有许多唐代的流风余韵，因此了解生活之艺术也更是容易。在许多风俗上日本的确保存这艺术的色彩，为我们中国人所不及，但由道学家看来，或者这正是他们的缺点也未可知罢。

在从容中感受生命的真正意义

蒙田

我对某些词语赋予特殊的含义。拿“度日”来说吧，天色不佳，令人不快的时候，我将“度日”看作是“消磨光阴”；而风和日丽的时候，我却不愿意去“度”，这时我是在慢慢赏玩，领略美好的时光。坏日子，要飞快去“度”，好日子，要停下来细细品尝。“度日”、“消磨时光”的常用语令人想起那些“哲人”的习气。他们以为生命的利用不外乎在于将它打发、消磨，并且尽量回避它，无视它的存在，仿佛这是一件苦事、一件贱物似的。至于我，我却认为生命不是这个样的，我觉得它值得称颂，富有乐趣，即便我自己到了垂暮之年也还是如此。我们的生命受到自然的厚赐，它是优越无比的，如果我们觉得不堪生之重压或是白白虚度此生，那也只能怪我们自己。

糊涂人的一生枯燥无味，躁动不安，却将全部希望寄托于来世。

——塞涅卡

不过，我却随时准备告别人生，毫不惋惜。这倒不是因生之艰辛或苦恼所致，而是由于生之本质在于死。因此只有乐于生的人才能真正不感到死之苦恼。享受生活要讲究方法。我比别人多享受到一倍的生活，因为生活乐趣的大小是随我们对生活的关心程度而定的。尤其在此刻，我眼看生命的时光无多，我就愈想增加生命的分量。我想靠迅速抓紧时间，去留住稍纵即逝的日子；我想凭时间的有效利用去弥补匆匆流逝的光阴。剩下的生命愈是短暂，我愈要使之过得丰盈饱满。

人生最大的智慧就是享受当下

叔本华

并不像人们所说的，这个世界上的事物的特征只是缺少完美，其实是颠倒和扭曲。不论是人的智力、道德，还是自然物理方面，一切都体现了这一点。

面对诸多恶行，常常会有这样的借口传入我们耳中："对于人类来说，这样的行径其实是自然的。"但这样的借口没有一点说服力；我们对此的回答应该是："正因为这样的行为非常恶劣，因此它是自然的；正因为它是自然的，因此它非常恶劣。"假如能准确理解这个思想的含意，那就表明已对原罪学说有所认识了。

我们在评判某个人时，必须要坚持这样的观点：此人存在的基础是"原罪"——某种罪恶、荒谬与颠倒，原本就是一些无胜于有的东西，所以一个人注定要死亡。此人的劣根性必定也是通过这样一个典型现实反映的：没有人能经得起真正的审视和检查。我们还要对人这样一类生物抱有什么样的期待呢？所以从这一点出发，我们能更加宽容地评判他人；即使是潜伏在人身上的魔鬼突然苏醒发威，我们也不会过于吃惊；我们也会尤为珍视在他人身上看到的优点，不管这是源自其智力还是别的什么因素。我们对他人的处境也会更加关注，并会认识到：从本质上讲，生活就是一种感到匮乏、不断需求与经常处于悲惨之中的条件状态，不论是谁，都得为自己的生存努力奋斗，所以就不会总是一副笑脸迎人的样子。

假如人真的像乐观的宗教与哲学所描述的样子，也就是说人是上帝的作品，甚或就是上帝的化身，并且不论从什么意义上讲，人这一类生物都是他应该成为的样子，那么，在我们与一个人初次见面、加深了解进而相互交往以后，我们所获得的印象与这种说法会是多么地截然不同啊！

“原谅就是一切。”（《辛白林》，第5幕第5景）我们要用宽容的态度来对待人们的缺点、愚蠢和恶劣的行径，因为我们眼前看到的只是人类的共同缺陷。而我们之所以会对这缺陷这样愤怒，只因此刻我们自己还没有显现这些罢了。

也就是说，它们并未现于表面，而是藏在深处。如果有机会，就会马上现身，这好比我们从他人那里获得的经验，即使某种弱点在某个人身上会更加清晰，但不能否认的是，由于人具有个体差异性，在一个人身上的全部恶劣因子要比在另一个人身上的劣根性的总和还要多。

生存的虚无感到处都有，显露无遗：生存的整个形态；空间与时间的无限，相形之下个体在空间与时间上的有限；现时的匆匆易逝，却是现实此时仅有的存在形式；所有事物间相互依存又相对的关系；一切都处在不断变化之中，没有任何驻留、固定的存在；无限的渴望伴随着永远无法得到的满足；一切付出的努力都受到阻碍，生命的进程就是这样，直到阻碍被克服为止……时间和它所包含的所有事物所具有的无常、易逝的本质，只是一种形式罢了，像这样的努力与拼夺的虚无本质就以此向生存意志显现而出，而后者作为自在之物，是永恒存在的。由于时间的缘故，所有的一切都在我们的手中立刻化为虚无，其真正价值也全部消逝了。

以往曾存在过的，现在已不再，就好像从来没有存在过一样。但当前存在着的一切，在下一刻就成了过去的存在。所以与最重要和最有意义的过去相比，确实性就是最不重要和最没意义的现在所具有的根本优势。因此，现在与过去的关系，就相当于有与无的关系。

人们非常惊讶于这样的发现：在经过许多个千万年以后，自己忽然存在了！之后经过不长的一段时间，自己又会回归到漫长时间的非存在。这里面总有一些不妥——我们的心这样说。想到这样一些事情，即使是悟性很低的粗人，也可以隐隐触碰到时间的观念。若想真正步入形而上学的殿堂，就一定要清楚作为观念存在的空间与时间，这为我们理解其他同自然秩序完全不同的事物秩序奠定了基础。康德的伟大就在这里。

我们生命里的一切只在某一刻才属于现在时的“be”，当这一刻过去以后它会永远变成过去时的“used to be”。每当夜幕降临，就表明我们又少了一天。眼见我们原本很少的时间渐渐消失不见，这的确会让我们变得疯狂，所幸我们的内在深处还隐隐意识到：永不枯竭的源泉属于我们，生命时间可以借着这一源泉获得无限的更新。

基于前述这些思考，我们可以得出这样的理论：人生最大的智慧，就是享受当前的时刻并使它成为生命里永恒的目标，因为只有当前的这一刻才是唯一且真实的，其余的一切只是我们的想法和思绪罢了；不过我们一样也可以把这类做法看作最大的愚蠢，因为在随后的时刻发生的，会像上一刻那般梦一样消失得踪影全无，不复存在，这类东西永不值得用心地奋力争取。

唯有不断消失的现时才是我们生存的基点，此外没有其他。实质上，我们的生存形式就是连续不断的运动，那种朝思暮想的安宁基本上是不可能的。人类的生存就像一个跑下山坡的人——若想停下脚步就肯定会摔倒，唯有接着奔跑才能找到平衡以便稳住身体；或者好比在手指上掌握平衡的木杆；再不就就像行星，假如停止向前运行，就会撞到太阳。所以生存的根本特征就是运动不止。

在这样一个没有固定性的世界里，保持不变的状态是没法实现的，所有的一切都在变化与循环着。人人都在匆匆前行与奔驰，好比不断前行、做出很多动作以保证身体平衡的走钢丝的人——这样的世界，幸福无从谈起。

在一个柏拉图所说的“只有持续永恒的形成、发展，永无既成存在”的地方，幸福没有安身之处。没有人是幸福的，而每个人一辈子都在争取一种臆想的、却很少获得的幸福。假如真能得到这样的幸福，那他尝到的只有失望、幻灭的滋味。一般来说，在人们终于到达港湾时，搭乘的船只早已千疮百孔，风帆、桅杆更是踪影全无。但鉴于生活仅由稍纵即逝的现时所构成，现时的生活立刻就会完结，所以，一个人究竟曾经是幸福还是不幸，就不太重要了。

内心湛然，则无往而不乐

梁实秋

天下最快乐的事大概莫过于做皇帝。“首出庶物，万国咸宁。”至不济可以生杀予夺，为所欲为。至于后宫粉黛三千，御膳八珍罗列，更是不在话下。清乾隆皇帝，“称八旬之觞，镌十全之宝”，三下江南，附庸风雅。那副志得意满的神情，真是不能不令人兴起“大丈夫当如是也”的感喟。

在穷措大眼里，九五之尊，乐不可支。但是试问古今中外的皇帝于地下，问他们一生中是否全是快乐，答案恐怕相当复杂。西班牙国王拉曼三世（Abder RahmanⅢ，960）说过这么一段话：

我于胜利与和平之中统治全国约五十年，为臣民所爱戴，为敌人所畏慎，为盟友所尊敬。财富与荣誉，权力与享受，呼之即来，人世间的福祉，从不缺乏。在这情形之中，我曾勤加计算，我一生中纯粹的真正幸福日子，总共仅有十四天。

御宇五十年，仅得十四天真正幸福日子。我相信他的话。宸谟睿略，日理万机，很可能不如闲云野鹤之怡然自得。于此我又想起从一本英语教科书上读到的一篇寓言。题目是《一个快乐人的衬衫》。某国王，端居大内，抑郁寡欢，虽极耳目声色之娱，而王终不乐。左右纷纷献计，有一位大臣言道：如果在国内找到一位快乐的人，把他的衬衫脱下来，给国王穿上，国王就会快乐。王韪其言，于是使者四处寻找快乐的人。访遍了朝廷显要，朱门豪家，人人都有心事，家家都有一本难念的经，都不快乐。最后找到一位农夫，他耕罢在树下乘凉，裸着上身，大汗淋漓。使者问他："你快乐么？"农夫说："我自食其力，无忧无虑！快乐极了！"使者大喜，便索取他的衬衣。农夫说："哎呀！我没有衬衣。"这位农夫颇似我们禅门之"一丝不挂"。

常言道，"境由心生"，又说"心本无生因境有"。总之，快乐是一种心理状态。内心湛然，则无往而不乐。吃饭睡觉，稀松平常之事，但是其中大有道理。大珠《顿悟入道要门论》："有源律师来问：'和尚修道，还用功否？'师曰：'用功。'曰：'如何用功？'师曰：'饿来吃饭，困来即眠。'曰：'一切人总如是，同师用功否？'师曰：'不同。'曰：'何故不同？'师曰：'他吃饭时不肯吃饭，百种须索，睡时不肯睡，千般计较。所以不同也。'律师杜口。”可是修行到心无挂碍，却不是容易事。我认识一位唯心论的学者，平素昌言意志自由，忽然被人绑架，系于暗室十有余日，备受凌辱，释出后他对我说：“意志自由固然不诬，但是如今我才知道身体自由更为重要。”常听人说烦恼即菩提，我们凡人遇到烦恼只是深感烦恼，不见菩提。

快乐是在心里，不假外求，求即往往不得，转为烦恼。叔本华的哲学是：苦痛乃积极的实在的东西，幸福快乐乃消极的根本不存在的东西。所谓快乐幸福乃是解除苦痛之谓。没有苦痛便是幸福。再进一步看，没有苦痛在先，便没有幸福在后。梁任公先生曾说：“人生最快乐的事，莫过于看着一件工作的完成。”在工作过程之中，有苦恼也有快乐，等到大功告成，那一份“如愿以偿”的快乐便是至高无上的幸福了。

有时候，只要把心胸敞开，快乐也会逼人而来。这个世界，这个人生，有其丑恶的一面，也有其光明的一面。良辰美景，赏心乐事，随处皆是。智者乐水，仁者乐山。雨有雨的趣，晴有晴的妙，小鸟跳跃啄食，猫狗饱食酣睡，哪一样不令人看了觉得快乐？就是在路上，在商店里，在机关里，偶尔遇到一张笑容可掬的脸，能不令人快乐半天？有一回我住进医院里，僵卧了十几天，病愈出院，刚迈出大门，陡见日丽中天，阳光普照，照得我睁不开眼，又见市廛熙攘，光怪陆离，我不由得从心里欢叫起来：“好一个艳丽盛装的世界！”

“幸遇三杯酒美，况逢一朵花新？”我们应该快乐。

人生不过如此，要懂得享受人生

林语堂

生之享受包括许多东西：我们自己的享受，家庭生活的享受，树、花、云、弯曲的河流、瀑布和大自然形形色色的享受，此外又有诗歌、艺术、沉思、友情、谈话、读书的享受，后者这些享受都是心灵交通的不同表现。有些享受是显而易见的，如食物的享受，欢乐的社交会或家庭团聚，天气晴朗的春日的野游；有些享乐是较不明显的，如诗歌、艺术和沉思的享受。我觉得不能够把这两类的享受分为物质的和精神的，一来因为我不相信这种区别，二来因为我要作这种分类时总是不知适从。当我看见一群男女老幼在举行一个欢乐的野宴时，我怎么说得出在他们的欢乐中哪一部分是物质的，哪一部分是精神的呢？我看见一个孩子在草地上跳跃着，另一个孩子用雏菊在编造一只小花圈，他们的母亲手中拿着一块夹肉面包，叔父在咬一只多汁的红苹果，父亲仰卧在地上眺望着天上的浮云，祖父口中含着烟斗。也许有人在开留声机，远远传来音乐的声音和波涛的吼声。在这些欢乐之中，哪一种是物质的，哪一种是精神的呢？享受一块夹肉面包和享受周遭的景色（后者就是我们所谓诗歌），其差异是否可以很容易地分别出来呢？音乐的享受，我们称之为艺术，吸烟斗，我们称之为物质的享受：可是我们能够说前者是比后者更高尚的欢乐吗？所以，在我看来，这种物质上和精神上的欢乐的分别是混乱的，莫明其妙的，不真实的。我疑心这分类是根据一种错误的哲学理论，把灵和肉严加区别，同时对我们的真正的欢乐没有做过更深刻更直接的研究。

难道我的假定太过分了，拿人生的正当目的这个未决定的问题来做论据吗？我始终认为生活的目的就是生活的真享受。我用“目的”这个名词时有点犹豫。人生这种生活的真享受的目的，大抵不是一种有意的目的，而是一种对人生的自然态度。“目的”这个名词含着企图和努力的意义。人生于世，所碰到的问题不是他应该以什么做目的，应该怎样实现这个目的，而是要怎么利用此生，利用天赋给他的五六十年的光阴。他应该调整他的生活，使他能够在生活中获得最大的快乐，这种答案跟如何度周末的答案一样地实际，不象形而上的问题，如人生在宇宙的计划中有什么神秘的目的之类，那么只可以作抽象而渺茫的答案。

反之，我觉得哲学家在企图解决人生的目的这个问题时，是假定人生必有一种目的的。西方思想家之所以把这个问题看得那么重要，无疑地是因为受了神学的影响。我想我们对于计划和目的这一方面假定得太过分了。人们企图答复这个问题，为这个问题而争论，给这个问题弄得迷惑不解，这正可以证明这种工夫是徒然的、不必要的。如果人生有目的或计划的话，这种目的或计划应该不会这么令人困惑，这么渺茫，这么难于发现。

这问题可以分做两个问题：第一是关于神灵的目的，是上帝替人类所决定的目的；第二是关于人类的目的，是人类自己所决定的目的。关于第一个问题，我不想加以讨论，因为我们认为所谓上帝所想的东西，事实上都是我们自己心中的思想；那是我们想象会存在上帝心中的思想，然而要用人类的智能来猜测神灵的智能，确实是很困难的。我们这种推想的结果常常使上帝做我们军中保卫旗帜的军曹，使他和我们一样地充满着爱国狂；我们认为上帝对世界或欧洲绝对不会有什么“神灵目的”或“定数”，只有对我们的祖国才有“神灵目的”或“定数”。我相信德国纳粹党人心目中的上帝一定也带着B字的臂章。这个上帝始终在我们这一边，不会在他们那一边。可是世界上抱着这种观念的民族也不仅日耳曼人而已。

至于第二个问题，争点不是人生的目的是什么，而是人生的目的应该是什么；所以这是一个实际的而不是形而上学的问题，对于“人生的目的应该是什么”这个问题，人人都可以有他自己的观念和价值标准。我们为这问题而争论，便是这个缘故，因为我们彼此的价值标准都是不同的。以我自己而论，我的观念是比较实际，而比较不抽象的。我以为人生不一定有目的或意义。惠特曼说："我这样做一个人，已经够了。"我现在活着——而且也许可以再活几十年——人类的生命存在着，那也已经够了。用这种眼光看起来，这个问题便变得非常简单，答案也只有一个了。人生的目的除了享受人生之外，还有什么呢？

这个快乐的问题是一切无宗教的哲学家所注意的重大问题，可是基督教的思想家却完全置之不问，这是很奇怪的事情。神学家所烦虑的重大问题，并不是人类的快乐，而是人类的"拯救"——"拯救"真是一个悲惨的名词。这个名词在我听来很觉刺耳，因为我在中国天天听见人家在谈"救国"。大家都想要"救"中国。这种言论使人有一种在快要沉没的船上的感觉，一种万事俱休的感觉，大家都在想全生的最好方法。基督教——有人称之为"两个没落的世界（希腊和罗马）的最后叹息"——今日还保存着这种特质，因为它还在为拯救的问题而烦虑着，人们为离此尘世而得救的问题烦虑着，结果把生活的问题也忘掉了。人类如果没有濒于灭亡的感觉，何必为得救的问题那么忧心呢？神学家那么注意拯救的问题，那么不注意快乐的问题，所以他们对于将来，只能告诉我们说有一个渺茫的天堂；当我们问道：我们在那边要做什么呢，我们在天堂要怎样得到快乐呢，他们只能给我们一些很渺茫的观念，如唱诗，穿白衣裳之类。穆罕默德至少还用醇酒，多汁的水果，和黑发、大眼、多情的少女，替我们画了一帧将来快乐的景象，这是我们这些俗人所能了解的。如果

神学家不把天堂的景象弄得更生动，更近情，那么，我们真不想牺牲这个尘世的生活，而到天堂里去。有人说：“今日一只蛋比明日一只鸡更好。”至少当我们在计划怎样过暑假的生活的时候，我们也要花些工夫去探悉我们所要去的地方。如果旅行社对这问题答得非常含糊，我是不想去的；我在原来的地方过假期好了。我们在天堂里要奋斗吗？要努力吗？（我敢说那些相信进步和努力的人一定要奋斗不息，努力不息的）可是当我们已经十全十美的时候，我们要怎样努力，怎样进步呢？或者，我们在天堂里可以过着游手好闲、无所事事，无忧无虑的日子吗？如果是这样的话，我们在这尘世上学过游手好闲的生活，比为将来永生生活做准备，岂不更好？

如果我们必须有一个宇宙观的话，让我们忘掉自己，不要把我们的宇宙观限制于人类生活的范围之内。让我们把宇宙观扩大一些，把整个世界——石、树和动物——的目的都包括进去。宇宙间有一个计划（“计划”一词，和“目的”一样，也是我所不欢喜的名词）——我的意思是说，宇宙间有一个模型；我们对于这整个宇宙，可以先有一种观念——虽然这个观念不是最后固定不移的观念——然后在这个宇宙里占据我们应该占的地位。这种关于大自然的观念，关于我们在大自然中的地位的观念，必须很

自然，因为我们生时是大自然的重要部分，死后也是回返到大自然去的。天文学、地质学、生物学和历史都给我们许多良好的材料，使我们可以造成一个相当良好的观念（如果我们不作草率的推断）。如果在宇宙的目的这个更广大的观念中，人类所占据的地位稍微减少其重要性，那也是不要紧的。他占据着一个地位，那已经够了，他只要和周遭自然的环境和谐相处，对于人生本身便能够造成一个实用而合理的观念。

每个活人都像是有一个生命

沈从文

我好像为什么事情很悲哀，我想起“生命”。

每个活人都像是有一个生命，生命是什么，居多人是不曾想

起的，就是“生活”也不常想起。我说的是离开自己生活来检视自己生活这样事情，活人中就很少那么作，因为这么作不是一个哲人，便是一个傻子了。“哲人”不是生物中的人的本性，与生物本性那点兽性离得太远了，数目稀少正见出自然的巧妙与庄严。因为自然需要的是人不离动物，方能传种。虽有苦乐，多由生活小小得失而来，也可望从小小得失得到补偿与调整。一个人若尽向抽象追究，结果纵不至于违反自然，亦不可免疏忽自然，观念将痛苦自己，混乱社会。因为追究生命意义时，即不可免与一切习惯秩序冲突。在同样情形下，这个人脑与手能相互为用，或可成为一思想家或艺术家，脑与行为能相互为用，或可成为一革命者。若不能相互为用，引起分裂现象，末了这个人就变成疯子。其实哲人或疯子，在违反生物原则，否认自然秩序上，将脑子向

抽象思索，意义完全相同。

我正在发疯。为抽象而发疯。我看到一些符号，一片形，一把线，一种无声的音乐，无文字的诗歌。我看到生命一种最完整的形式，这一切都在抽象中好好存在，在事实前反而消灭。

有什么人能用绿竹作弓矢，射入云空，永不落下？我之想象，犹如长箭，向云空射去，去即不返。长箭所注，在碧蓝而明静之广大虚空。

明智者若善用其明智，即可从此云空中，读示一小文，文中有微叹与沉默，色与香，爱和怨。无著者姓名。无年月。无故事。无……然而内容极柔美。虚空静寂，读者灵魂中如有音乐。虚空明蓝，读者灵魂上却光明净洁。

大门前石板路有一个斜坡，坡上有绿树成行，长干弱枝，翠叶积叠，如翠翣，如羽葆，如旗帜。常有山灵，秀腰白齿，往来其间。遇之者即喑哑。爱能使人喑哑——一种语言歌呼之死亡。“爱与死为邻”。

然抽象的爱，亦可使人超生。爱国也需要生命，生命力充溢者方能爱国。至如阉寺性的人，实无所爱，对国家，貌作热诚，对事，马马虎虎，对人，毫无情感，对理想，异常吓怕。也娶妻生子，治学问教书，做官开会，然而精神状态上始终是个阉人。与阉人说此，当然无从了解。

夜梦极可怪。见一淡绿白合花，颈弱而花柔，花身略有斑点青渍，倚立门边微微动摇。在不可知地方好像有极熟习的声音在招呼：

“你看看好，应当有一粒星子在花中。仔细看看。”

于是伸手触之。花微抖，如有所怯。亦复微笑，如有所恃。因轻轻摇触那个花柄，花蒂，花瓣。近花处几片叶子全落了。

如闻叹息，低而分明。

……

雷雨刚过。醒来后闻远处有狗吠，吠声如豹。半迷糊中卧床上默想，觉得惆怅之至。因白合花在门边动摇，被触时微抖或微笑，事实上均不可能！

起身时因将经过记下，用半浮雕手法，如玉工处理一片玉石，琢刻割磨。完成时犹如一壁炉上小装饰。精美如瓷器，素朴如竹器。

一般人喜用教育身分来测量一个人道德程度。尤其是有关乎性的道德。事实上这方面的事情，正复难言。有些人我们应当嘲笑的，社会却常常给以尊敬，如阉寺。有些人我们应当赞美的，社会却认为罪恶，如诚实。多数人所表现的观念，照例是与真理相反的。多数人都乐于在一种虚伪中保持安全或自足心境。因此我焚了那个

稿件。我并不畏惧社会，我厌恶社会，厌恶伪君子，不想将这个完美诗篇，被伪君子眼目所污渎。

白合花极静。在意象中尤静。

山谷中应当有白中微带浅蓝色的白合花，弱颈长蒂，无语如语，香清而淡，躯干秀拔。花粉作黄色，小叶如翠珰。

法郎士曾写一《红白合》故事，述爱欲在生命中所占地位，所有形式，以及其细微变化。我想写一《绿白合》，用形式表现意象。

人生是伟大的奇迹

雪莱

人，就是生活；我们所感受的一切，即为宇宙。生活和宇宙是神奇的。然而，对万物的视若无睹，犹如一层薄薄的雾，遮蔽了我们，使我们看不到自身的神奇。我们对人生倏忽不定的变幻惊叹不已，然而，这本身不正是伟大的奇迹？同人生相比，帝国兴衰、王朝更迭何足挂齿！同人生相比，宗教体系、政治体制的兴亡又何足轻重！同人生相比，我们所定居的星球的演变算得了什么？同人生相比，日月星辰的运转与归宿又算得了什么？人生，这伟大的奇迹，我们叹为观止，只因你如此奇妙无比！我们姑且就让那薄薄的雾（我们对这层雾，既了如指掌，又感到变幻莫测）遮蔽我们的视线吧，否则，我们的惊异感会吞没，惊慑那引起惊异的客体！

倘若有任何一位艺术家，仅仅在心目中想象出太阳、恒星、行星诸星系（假设它们不曾在世间存在过），又用语言或画笔描绘出今夜的天穹所呈现的景观，然后以天文学的智慧对诸星系进行阐述解释，那么，我们会对他推崇备至的；如果有任何一位艺术家，凭他的想象勾勒出地球的景致：山峦、海洋、河流、草木、花朵，森林中形形色色的叶子，日落日出时的云蒸霞蔚，混浊清明的大气中的色彩层次（假设这一切以前也不曾在世间存在过），那么，毫无疑问我们会对他惊叹不已。如果以“除了上帝与诗人，无人配称创造者”来称赞这位艺术家，这实在不是出于虚浮的吹捧。然而，此刻，人们只是不经意地打量着这一切——日月、星辰、山川、河流、山脉……而以极度的快乐意识到这一切的人则被盛赞为“教养良好”、“卓尔不群”，芸芸众生对此是漠不关心的。这就是人生，包容一切的人生在人间所受的待遇。

什么是人生？我们的思想与情感有意识的或无意识的都会在脑海中涌现，而我们便运用言辞来表达它们；我们降临到世间，然而，呱呱坠地的时刻早已被我们淡忘，婴孩时代不过是记忆中破碎的残片。我们活下来了，可在生活中，我们失却了对生活的领悟。如果以为透过我们的言辞便能洞穿人生的秘密，这是何等狂妄自大！诚然，言辞倘若运用得当，的确能使我们明白自身的无知，不过仅此而已，而这已足人愿了！因为，我们无法回答：我们究竟是什么，我们来自何处，又欲往何方？降临世间是否即为存在之始，而死亡是否即为存在之终？诞生是什么？死亡又是什么呢？

精密抽象的逻辑学，抹去了涂在人生表面的那层油彩，为我们展现出一幅惊心动魄的人生画面。然而，面对如此惊心动魄的画面，人们却已经习以为常，只感到它年复一年，周而复始。有

哲学家宣称，只有被感知的事物才存在。我要承认，我自己就是这一学说的赞同者。

然而，由于这一论断与我们固有的信念背道而驰，我们固有的信念便千方百计地与它抗衡。在我们心悦诚服之前，我们的脑海里早已有这样一种定论：外在的世界是由“梦幻的物质”构成的。通俗哲学这种荒谬绝伦的意识观与物质观，在伦理道德观念上产生了致命的后果。这一切以及这种哲学在万物本原问题上极端的教条主义，曾使我一度陷入唯物论。这种唯物论对于年轻肤浅的心灵是一个富有诱惑力的体系。它允许信徒谈论，却“豁免”了其思索权。不过，我所不满足的是它的物质观。我认为，人是一种志存高远的存在，他“前见古人，后观来者”，他的“思想，徜徉于永恒之中”，与倏忽无常、瞬息即逝绝缘。他无法想象万物的湮灭，他只在“未来”与“过去”中存在；无论他真正的、最终的归宿如何，在他心中永远存在着一个精灵，与虚无、死亡为敌。这是一切生命、一切存在的特征。每一个生命与存在既是圆心，同时又是圆周；既是万物所指向的点，又是包含万物的线。这种观照为唯物论与通俗哲学的物质观、意识观所不容，然而，它与智力体系却是相投的。

冗长地介绍早已为探索的心灵所熟知的观点显得可笑。一个论题深奥的作者尽可以对他们发表演说，或许在威廉·德拉蒙德的《学术问题》中，我们可以找到对智力体系最清晰有力的论证。经过他的一番讲评，再用其他言语来转译就显得徒劳无益了，这种转译只能丧失原作的生动与贴切。如果人们一个论点一个论点、一字一句地审度德拉蒙德论著的整个推理过程，最明智的人不难发现他思想的混乱，他的推理并不最终导向论述过的结论。

自己选择自己的道路

爱默生

几年前的一个冬天，我们的城市正在热火朝天地讨论关于我们的时代的理论，各种各样的理论纷纷出笼，人们讨论得不亦乐乎。无独有偶，就在那个时候，恰恰有那么几位名人正驻扎在波士顿或纽约，向那里的公民们滔滔不绝地演说着，进行关于时代精神的说教。更为巧合的是，就是在这同一个季节中，有关这个主题的文字充满了伦敦大大小小的出版物，简直就是铺天盖地，从小册子，到花样繁多的报纸杂志，都写满了这样的文字。

然而，在这热闹的氛围中，我却感到了一丝寂寞。对我个人而言，这个有关时代的大问题却转化成了一个有关生活准则的实际问题：我将如何生活？从某种意义上来说，我们是无法解释时代的。我们的几何学无法丈量现代流行思想的如意伸缩的轨道，不可能目睹它们的回归，并调和它们之间你死我活的对峙。我们只能顺从我们自己的感情流向。如果我们一定要接受一种不可抵御的意旨作为我们的人生支柱，那么，我们就最好自己开动思考的机器，自己选择自己的道路。

在我们为了使自己的愿望得到满足而迈出了第一步之后，我们就会面对我们无法克服的局限性。我们总是满腔热情、豪情万里，热切地期望和希冀改造人类，但是，经过了无数次的试验之后，我们发现，我们必须从更早的时候开始，——从学校开始！但是，那些处于懵懂之年的少年并不总是那么俯首帖耳，我们无法将他们培育成人才。我们在心里嘀咕："他们肯定不是由良好的材料组成的！"所以，我们还得从更早的地方着手，开始我们的改造——从生育期开始：这就等于暗示我们，这个世界有它自己的命运，或者说，这个世界是在自己规律的主宰下运行发展的。

不过，如果冥冥之中真的有一只上帝的手在指挥着世间的一切的话，那么，这个无法抵御的意旨一定理解自身。如果我们决定臣服于命运的宰制，那么，我们也必须重申自由的意义，肯定个人的价值，高扬崇高的责任，赞美性格的伟大……既然这一点是真实的，那么，另一点也必然是真实的。

可是，我们的几何学却无法抵达这些极点，不可能动摇它们，使它们妥协。那么，我们应该怎么办呢？我们必须当机立断。我认为，我们应该坦率一些，通过服从这两种思想之中的任何一种，通过抚弹或者——假若你愿意的话——重击每一种琴弦，通过它们的回响，我们就会逐渐地熟悉它们，从而最终了解它的威力。现在，让我们回过头来，在用同样的途径去服从、把握另一种思想。这样，我们就逐个地认识、把握住了它们。这时候，我们就有理由相信或者希望，能够让它们和谐一致地运转、行动。

我们深深地知道，尽管我们还没有洞察其中的三昧，但现实告诉我们，自由与必然确实并行不悖，个人与世界相辅相成，而我个人的情感趋向，也正与时代的精神相吻合。时代这个谜语的谜底无穷无尽，每个人都可以给出自己的谜底。如果有谁想研究自己所身处的时代，那么他必须采用这套方法，也就是说，轮番上阵，去涉猎、探索属于我们人生系统的一个又一个的重要话题。而且，通过坚定地说明所有那些对于某一个人而言是愉悦适意的经历，而与此同时，也公平对待在那些其他人看来是绝然相反的事实，那么真正的局限性就会水落石出。任何一种对于某种因素过分的强调都要矫正，要创造一种真正合理的平衡。

但是，还是让我们坦率一些吧，让我们大声地说出那些事实吧。我们美国一向就有肤浅的恶劣名声。那些伟大的人物，伟大的国度，从来就不是自吹自擂的家伙和滑稽舞台上的主角，而是那些对生活中的恐怖现象进行追踪调查的观察者。他们总是在恐怖的时刻挺身而出，鼓足勇气，面对现实。斯巴达人本身就是他们国家宗教的化身，他们面对宗教的威严毫无疑忌，视死如归。土耳其人相信，在他们降临这个世界的瞬间，他们的厄运就已经镌刻在那片铁叶之上，然而，他们却仍然矢志不渝地朝着敌人的骑兵猛冲。土耳其人、阿拉伯人、波斯人，他们都接受预先注定的命运。

> 就在这两天，最好不必再逃离你的坟茔，
> 有一天并非末日，有一天则早已注定；
> 第一天，医生或药膏都无法拯救，
> 第二天，也绝非是宇宙将你诛戮。

在命运之铁轮滚滚的碾压之下，那些备受煎熬的印度人也同样十分坚强。我们的上一代，那些严肃的加尔文主义者，也一样体现着某种类似的尊严。他们感觉到宇宙的重负将他们牢牢地固定在他们的位置之上，他们又能怎么办呢？那些智慧明达的人察觉到有一些东西无法用空谈和选举而加以消除，它们像一条绳索或皮带束缚着这个世界。

> 命运之神，人世间的主教，
> 处理着上帝所预示的一切祸福，
> 十分威严，
> 世人虽发誓违抗，
> 不论或是或非，
> 只要经过相当年月，仍然显应，

千年之中难得重逢。

确实，我们在人世的嗜欲，

是战是和，是爱是惜，

没有一件不由上天守视。

——乔叟：《武士的故事》

在古希腊的悲剧中，也传达着类似的意思："凡命中注定者一定发生。主神朱庇特浩瀚如海的心灵无人可以逾越。"

给予越多，生命便越丰富

惠特曼

我小时候住在加拿大的挪瓦斯科塔乡下时，发生过一件事。一位邻居的太太去世，其整日酗酒，根本不管孩子们。村中有位寡妇把他家的一个男孩带回自己家。寡妇很贫穷，又没上过学，但却竭尽全力照顾这浑身发抖、性情孤僻的孩子。男孩好像转眼间变了，个子长高了，性格也开朗了。但是我们和他不熟，谁也不跟他讲话，这又让他很自卑。

有一天，他的养母看见我们在玩耍，却没人理睬那个孩子，他只能躲在一边抽泣。她把男孩带回屋里，然后对我们大动肝火："我不准你们这样对待他！这孩子也是人，当下的生活会影响他的一生。每次我使他稍微抬起头来，你们又把它压下去。你们不想让他活吗？"

许多年过去，我总也忘不了这件事。它使我第一次领悟到深刻而严肃的人生哲理——人能成全他人，也能毁弃他人；互相帮助能使人奋发向上，互相抱怨则会使人退缩不前。人与人之间的这种影响，就像阳光与寒霜对田野的影响一样。每个人都随时发出一种呼唤，促使别人荣辱毁誉，生死成败。

一位作家曾把人生比作蜘蛛网。他说："我们生活在世界上，对他人的热爱、憎恨或冷漠，就像抖动一个大蜘蛛网。我影响他人，他人又影响他人。巨网振动，辗转波及，不知何处止，何时休。"

有些人总是鼓吹人生没有意义没有希望。他们的言行使人放弃、退缩或屈服。这些人之所以如此，可能是因为自己受了委屈或遇到不幸；但不论原因如何，他们孤僻冷淡，使梦想幻灭、希望成灰、欢乐失色。他们尖酸刻薄，使礼物失值、成绩无光、信心瓦解。留下来的只是恐惧。

这种人为数不多，但类似的冷言冷语我们都遇到过。例如，妻子因丈夫身体虚弱，收入微薄，便讥笑他："你也配做男人？"又如，妻子努力学习烹调，而丈夫的反馈却是："我看你根本不是那块料。"再如，学生写了一篇有才华有创见的论文，而老师却嫌他书法拙劣，有错别字。

这种人使人觉得没有办法面对人生，从而灰心丧气，自惭形秽，惊慌失措。而我们可能又会将这种情绪传染给别人。因为我们受了委屈，一定要向人诉苦。

但是那些生性爽朗，鼓励别人奋发，令人难以忘怀的人又怎样呢？和这些人在一起，会令人感到朝气蓬勃，充满信心，从而使我们能够表现才能，发挥潜力，有所作为。

我上小学时，遇到过这样一位好老师。她讲课生动，充满激情。她在课上念我们幼稚的作文时，我们总能从她脸上看到惊喜的表情或会心的微笑，听到她愉快的赞叹或同情的低泣。每当我们的文笔有清新之处，她一定会加以鼓励；有不足之处，她的批评则恳切而委婉，诸如，“这里还可以加工一下”，“那里还可以更深刻些”。

英国大诗人白朗宁也是这样的人，他曾使他的妻子伊丽莎白·巴莱特重获新生。伊丽莎白的母亲很早便去世了，留下了11个子女。伊丽莎白从小体弱多病，全家都对她倍加照顾，医生也怀疑她身患肺病，这使伊丽莎白自己深信不疑，整日闷闷不乐，生活毫无乐趣。

在她40岁时，遇到白朗宁。白朗宁对她一见倾心，见面一两天后，就给她寄来热情洋溢的信。他否认她有任何疾病，消除了她的恐惧。他把她带出病室，和她结了婚。她 41岁时周游了世界，43岁生下了一个健康的孩子。她的才华得到了充分施展。她后来写的诗充满了激情，而且不热爱生活的人是写不出那样的诗句的。

我们谁不希望像他们，使别人的生命之火燃烧？但最重要的是先要弄清自己是否热爱生命，是否具有活力。热爱生命的人才能分享于他人。

不要按捺住自己的热情，应该拿出来为别人打通幸福的道路。

我们珍惜自己的生命，但也应该同样尊重别人的意志。任何生物都要生长，生长是生命的过程——生命是棵生长着的树，不是毫无生机的雕像。我们应当了解别人的生活和理想与我们不同，应当倾听别人的诉说，找出他们的长处，给他们表现的机会，并让他们继续生长。

是的，人的一生非常曲折，甚至艰辛。但无不前途光明，富有生机，充满机会。而那些充满希望的人从不会总是怨天尤人。

我们应该珍惜自己生命活力，并与他人分享你的活力。因为有给予，必有报答。人生和爱情一样，不会自己滋长，必须先给予而后才有发展。给予越多，生命便越丰富。

人生是一首诗

林语堂

我认为从生物学的观点看起来，人生念起来几乎像一首诗。它有它自己的韵律和节拍，也有它生长和腐坏的内在周期。它开始是天真的童年时期，其后便是笨拙的青春时期，带着青年的热情和愚憨，理想和野心，笨拙地要想去适应成熟的社会。后来达到一个极为活动的成年时期，由经验上得到利益，对于社会及人类的天性有更深的了解，到了中年的时候才稍稍减轻活动的紧张，性格也成熟了，像水果的成熟或美酒的醇熟一样，对于人生渐渐抱了一种较宽恕，较玩世，同时也较温和的态度；到了老年内分泌腺减少了它们的活动，如果我们对老年能有一种真正的哲学观念，依照这种观念调和我们的生活形式，那么这个时期，便是我们的平和、隐空、闲逸和满足的时期；最后，生命的火花熄灭了，一个人便长眠不醒了。我们应该能够意识到这种人生的韵律之美，像欣赏大交响曲那样，欣赏它的主题、欣赏它急缓的旋律，以及最后的和音。这些周期的活动，在正常的人物上大概相同，不过音乐必须由个人自己去供给。在某些人的灵魂中，不调和的音键变得渐渐利害，结果竟把正式的旋律给淹没了，如果不调和的音键太强，以至音乐不能继续演奏下去，于是这个人便开枪自杀，或投河自尽了。这是因为他缺乏良好的自我教育，弄得原来的主导旋律遭掩蔽了。反之，正常的人生是会保持着严肃的动作和行列，向着正常的目标前进。在我们许多人中，有时震音或激越之音太多，因为速度错误了，所以听起来很觉刺耳：我们也许要多有些像恒河般伟大的音律和雄壮的速度缓缓地永远地向着大海流去。

谁也不能说，一个人有童年，壮年和老年，不是一种美满的安排；一天有上午，中午和日落，一年有四季，这样子是很好的。人生没有什么好和坏，只有在那一季里什么是好的问题。如果我们抱着这样的人生观念，按照季节去生活，那么除了自大的呆子和无法可施的理想主义者之外，没有人会否认人生可以像一首诗一样地过了。莎士比亚曾在他人生七阶段的那节文章里，把这个观念更明显地表达出来，许多中国作家也曾说过此类的话。莎士比亚没有变成富于宗教观念的人，也不曾对宗教表示很大的关怀，这是可怪的。我想这便是他所以伟大的地方；他把人生大致当作人生看待，也不侵犯一般事物的配置方法，正如他并不侵犯他的戏剧中的人物一样。莎士比亚正和大自然本身相似，这是我们对一位作家或思想家最大的称颂。他只是活在世界上，观察人生然后跑开了。生活就是这么精彩，变为富有韵味的诗歌。

二
用淡泊写意人生，用安然葱茏时光

我们最重要的不是去计较真与伪，得与失，名与利，贵与贱，富与贫，而是如何好好地快乐度日，并从中发现生活的诗意。

学会写意地生活

蒙田

跳舞的时候我便跳舞，睡觉的时候我就睡觉。即便我一人在幽美的花园中散步，倘若我的思绪一时转到与散步无关的事物上去，我也会很快将思绪收回，令其想想花园，寻味独处的愉悦，思量一下我自己。

天性促使我们为保证自身需要而进行活动，这种活动也就给我们带来愉快。慈母般的天性是顾及这一点的。它推动我们去满足理性与欲望的需要。破坏它的规矩就违背情理了。

我知道恺撒与亚历山大就在活动最繁忙的时候，仍然充分享受自然的，也是必需的、正当的生活乐趣。我想指出，这不是要使精神松懈，而是使之增强，因为要让激烈的活动、艰苦的思索服从于日常生活习惯，那是需要有极大的勇气的。他们认为，享受生活乐趣是自己正常的活动，而战事才是非常的活动。他们持

这种看法是明智的。

我们倒是些大傻瓜。我们说："他一辈子一事无成。"或者说："我今天什么事也没有做……"怎么！你不是生活过来了吗？这不仅是最基本的活动，而且也是我们的诸活动中最有光彩的。"如果我能够处理重大的事情，我本可以表现出我的才能。"你懂得考虑自己的生活，懂得去安排它吧？那你就做了最重要的事情了。天性的表露与发挥作用，无须异常的境遇。它在各个方面乃至在暗中也都表现出来，无异于在不设幕的舞台上一样。我们的责任是调整我们的生活习惯，而不是去编书；是使我们的举止井然有致，而不是去打仗，去扩张领地。

我们最豪迈、最光荣的事业乃是生活得写意，其余一切事情，执政、致富、建造产业，充其量也只不过是这一事业的点缀

和从属品。

我很高兴地得知有这么一位将军，他在自己即将进攻的城墙口下一心一意、非常洒脱地与友人一起进餐，聊家常。布鲁图斯也一样，他在天地都不利于他本人而且罗马的自由正受威胁之际，却利用巡夜的时间，偷偷花上几个小时，安心地阅读波吕比乌斯的著作并为之作批注。心灵不豁达的人，当其陷于沉重的事务堆里的时候，就不知道彻底摆脱出来，他们不知道要拿得起放得下。

> 噢，患难与共的勇敢的友人，
> 今天且请尽饮，好消愁解闷，
> 明天咱们就进茫茫海域航行。
>
> ——贺拉斯

时刻留一份心灵的净土

林徽因

放了假，春初的日子松弛下来。将午未午时候的阳光，橙黄的一片，由窗棂横浸到室内，晶莹地四处射。我有点发怔，习惯地在沉寂中惊讶我的周围。我望着太阳那湛明的体质，像要辨

别它那交织绚烂的色泽，追逐它那不着痕迹的流动。看它洁净地映到书桌上时，我感到桌面上平铺着一种恬静，一种精神上的豪兴，情趣上的闲逸；即或所谓“窗明几净”，那里默守着神秘的期待，漾开诗的气氛。那种静，在静里似可听到那一处琤琮的泉流，和着仿佛是断续的琴声，低诉着一个幽独者自娱的音调。看到这同一片阳光射到地上时，我感到地面上花影浮动，暗香吹拂左右，人随着晌午的光霭花气在变幻，那种动，柔谐婉转有如无声音乐，令人悠然轻快，不自觉地脱落伤愁。至多，在舒扬理智的客观里使我偶一回头，看看过去幼年记忆步履所留的残迹，有点儿惋惜时间；微微怪时间不能保存情绪，保存那一切情绪所曾流连的境界。

倚在软椅上不但奢侈，也许更是一种过失，有闲的过失。但

东坡的辩护“懒者常似静，静岂懒者徒”，不是没有道理。如果此刻不倚榻上而“静”，则方才情绪所兜的小小圈子便无条件地失落了去！人家就不可惜它，自己却实在不能不感到这种亲密的损失的可哀。

就说它是情绪上的小小旅行吧，不走并无不可，不过走走未始不是更好。归根说，我们活在这世上到底最珍惜一些什么？果真珍惜万物之灵的人的活动所产生的种种，所谓人类文化？这人类文化到底又靠一些什么？我们怀疑或许就是人身上那一撮精神同机体的感觉，生理心理所共起的情感，所激发出的一串行为，所聚敛的一点智慧，——那么一点点人之所以为人的表现。宇宙万物客观的本无所可珍惜，反映在人性上的山川草木禽兽才开始有了秀丽，有了气质，有了灵犀。反映在人性上的人自己更不用说。没有人的感觉，人的情感，即便有自然，也就没有自然的

美，质或神方面更无所谓人的智慧，人的创造，人的一切生活艺术的表现！这样说来，谁该鄙弃自己感觉上的小小旅行？为壮壮自己胆子，我们更该相信惟其人类有这类情绪的驰骋，实际的世间才赓续着产生我们精神所寄托的文物精粹。

此刻我竟可以微微一咳嗽，乃至于用播音的圆润口调说：我们既然无疑的珍惜文化，即尊重盘古到今种种的艺术——无论是抽象的思想的艺术，或是具体的驾驭天然材料另创的非天然形象，——则对于艺术所由来的渊源，那点点人的感觉，人的情感智慧（通称人的情绪），又当如何的珍惜才算合理？

但是情绪的驰骋，显然不是诗或画或任何其他艺术建造的完成。这驰骋此刻虽占了自己生活的若干时间，却并不在空间里占任何一个小小位置！这个情形自己需完全明了。此刻它仅是一种无踪迹的流动，并无栖身的形体。它或含有各种或可捉

摸的质素，但是好奇地探讨这个质素而具体要表现它的差事，无论其有无意义，除却本人外，别人是无能为力的。我此刻为着一片清婉可喜的阳光，分明自己在对内心交流变化的各种联想发生一种兴趣的注意，换句话说，这好奇与兴趣的注意已是我此刻生活的活动。一种力量又迫着我来把握住这个活动，而设法表现它，这不易抑制的冲动，或即所谓艺术冲动也未可知！只记得冷静的杜工部散散步，看看花，也不免会有“江上被花恼不彻，无处告诉只颠狂”的情绪上一片紊乱！玲珑煦暖的阳光照人面前，那美的感人力量就不减于花，不容我生硬地自己把情绪分划为有闲与实际的两种，而权其轻重，然后再决定取舍的。我也只有情绪上的一片紊乱。

情绪的旅行本偶然的事，今天一开头并为着这片春初晌午的阳光，现在也还是为着它。房间内有两种豪侈的光常叫我的心绪紧张如同花开，趁着感觉的微风，深浅零乱于冷智的枝叶中间。一种是烛光，高高的台座，长垂的烛泪，熊熊红焰当帘幕四下时各处光影掩映。那种闪烁明艳，雅有古意，明明是画中景象，却含有更多诗的成分。另一种便是这初春晌午的阳光，到时候有意无意的大片子洒落满室，那些窗棂栏板几案笔砚浴在光霭中，一时全成了静物图案；再有红蕊细枝点缀几处，室内更是轻香浮溢，叫人俯仰全触到一种灵性。

这种说法怕有点会发生误会，我并不说这片阳光射入室内，需要笔砚花香那些儒雅的托衬才能动人，我的意思倒是：室内顶寻常的一些供设，只要一片阳光这样又幽娴又洒脱地落在上面，一切都会带上另一种动人的气息。

这里要说到我最初认识的一片阳光。那年我六岁，记得是刚刚出了水珠以后——水珠即寻常水痘，不过我家乡的话叫它做水珠。当时我很喜欢那美丽的名字，忘却它是一种病，因而也觉到一种神秘的骄傲。只要人过我窗口问问出“水珠”么？我就感到一种荣耀。那个感觉至今还印在脑子里。也为这个缘故，我还记得病中奢侈的愉悦心境。虽然同其他多次的害病一样，那次我仍然是孤独的被囚禁在一间房屋里休养的。那是我们老宅子里最后的一间房子；白粉墙围着小小院子，北面一排三间，当中夹着一个开敞的厅堂。我病在东头娘的卧室里。西头是婶婶的住房。娘同婶永远要在祖母的前院里行使她们女人们的职务的，于是我常是这三间房屋惟一留守的主人。

在那三间屋子里病着，那经验是难堪的。时间过得特别慢，尤其是在日中毫无睡意的时候。起初，我仅集注我的听觉在各种似脚步又不似脚步的上面。猜想着，等候着，希望着人来。间或听听隔墙各种琐碎的声音，由墙基底下传达出来又消敛了去。过一会儿，我就不耐烦了——不记得是怎样的，我就蹑着脚，挨着木床走到房门边。房门向着厅堂斜斜地开着一扇，我便扶着门框好奇地向外探望。

那时大概刚是午后两点钟光景，一张刚开过饭的八仙桌，异常寂寞地立在当中。桌下一片由厅口处射进来的阳光，泄泄融

融地倒在那里。一个绝对悄寂的周围伴着这一片无声的金色的晶莹，不知为什么，忽使我六岁孩子的心里起了一次极不平常的振荡。

那里并没有几案花香，美术的布置，只是一张极寻常的八仙桌。如果我的记忆没有错，那上面在不多时间以前，是刚陈列过咸鱼、酱菜一类极寻常俭朴的午餐的。小孩子的心却呆了。或许两只眼睛倒张大一点，四处地望，似乎在寻觅一个问题的答案。为什么那片阳光美得那样动人？我记得我爬到房内窗前的桌子上

坐着，有意无意地望望窗外，院里粉墙疏影同室内那片金色和煦绝然不同趣味。顺便我翻开手边娘梳妆用的旧式镜箱，又上下摇动那小排状抽屉，同那刻成花篮形小铜坠子，不时听雀跃过枝清脆的鸟语。心里却仍为那片阳光隐着一片模糊的疑问。

时间经过二十多年，直到今天，又是这样一泄阳光，一片不可捉摸，不可思议流动的而又恬静的瑰宝，我才明白我那问题是永远没有答案的。事实上仅是如此：一张孤独的桌，一角寂寞的厅堂。一只灵巧的镜箱，或窗外断续的鸟语，和水珠——那美丽小孩子的病名——便凑巧永远同初春静沉的阳光整整复斜斜地成了我回忆中极自然的联想。

寂寞是一种清福

梁实秋

寂寞是一种清福。我在小小的书斋里，焚起一炉香，袅袅的一缕烟线笔直地上升，一直戳到顶棚，好像屋里的空气是绝对的静止，我的呼吸都没有搅动出一点波澜似的。我独自暗暗地望着那条烟线发怔。屋外庭院中的紫丁香还带着不少嫣红焦黄的叶子，枯叶乱枝的声响可以很清晰地听到，先是一小声清脆的折断声，然后是撞击着枝干的磕碰声，最后是落到空阶上的拍打声。这时节，我感到了寂寞。在这寂寞中我意识到了我自己的存在——片刻的孤立的存在。这种境界并不太易得，与环境有关，更与心境有关。寂寞不一定要到深山大泽里去寻求，只要内心清净，随便在市廛里，陋巷里，都可以感觉到一种空灵悠逸的境界，所谓“心远地自偏”是也。在这种境界中，我们可以在想象中翱翔，跳出尘世的渣滓，与古人同游。所以我说，寂寞是一种清福。

在礼拜堂里我也有过同样的经验。在伟大庄严的教堂里，从彩色玻璃窗透进一股不很明亮的光线，沉重的琴声好像是把人的心都洗淘了一番似的，我感到了我自己的渺小。这渺小的感觉便是我意识到我自己存在的明证。因为平常连这一点点渺小之感都不会有的！

我的朋友肖丽先生卜居在广济寺里，据他告诉我，在最近一个夜晚，月光皎洁，天空如洗，他独自踱出僧房，立在大雄宝殿的石阶上，翘首四望，月色是那样的晶明，蓊郁的树是那样的静止，寺院是那样的肃穆，他忽然顿有所悟，悟到永恒，悟到自我的渺小，悟到四大皆空的境界。我相信一个人常有这样的经验，他的胸襟自然豁达寥廓。

但是寂寞的清福是不容易长久享受的。它只是一瞬间的存在。世界有太多的东西不时的提醒我们，提醒我们一件煞风景的事实：我们的两只脚是踏在地上的呀！一只苍蝇撞在玻璃窗上挣扎不出去，一声“老爷太太可怜可怜我这个瞎子吧”，都可以使我们从寂寞中间一头栽出去，栽到苦恼烦躁的漩涡里去。至于“催租吏”一类的东西打上门来，或是“石壕吏”之类的东西半夜捉人，其足以使人败兴生气，就更不待言了。这还是外界的感触，如果自己的内心先六根不净，随时都意马心猿，则虽处在最寂寞的境地里，他也是慌成一片，忙成一团，六神无主，暴跳如雷，他永远不得享受寂寞的清福。

如此说来，所谓寂寞不即是一种唯心论，一种逃避现实的现象吗？也可以说是。一个高韬隐遁的人，在从前的社会里还可以存在，而且还颇受人敬重，在现在的社会里是绝对的不可能。现在似乎只有两种类型的人了，一是在现实的泥溷中打转的人，一是偶然也从泥溷中昂起头来喘口气的人。寂寞便是供人喘息的几口新空气。喘几口气之后还得耐心地低头钻进泥溷里去。所以我对于能够昂首物外的举动并不愿再多苛责。逃避现实，如果现实真能逃避，吾寤寐以求之！有过静坐经验的人该知道，最初努力把握着自己的心，叫它什么也不想，而是多么困难的事！那是强迫自己入于寂寞的手段，所谓参禅入定完全属于此类。我所赞美的寂寞，稍异于是。我所谓的寂寞，是随缘偶得，无需强求，一刹间的妙悟也不嫌短，失掉了也不必怅惘。但是我有一刻寂寞，我要好好地享受它。

人生的意味，全靠你自己

胡适

今天讲的题目，就是“科学的人生观”，研究人是什么东西？在宇宙中占据什么地位？人生究竟有何意味？因为少年人近来觉得很烦闷，自杀、颓废的都有，我比较至少多吃了几斤盐，几担米，所以来计划计划，研究自身人的问题。至于人生观，各人不同，都随环境而改变，不可以一个人的人生观去统理一切；因为公有公理，婆有婆理，我们至少要以科学的立场，去研究它，解决它。“科学的人生观”有两个意思：第一拿科学做人生观的基础，第二拿科学的态度、精神、方法，做我们生活的态度，生活的方法。

现在先讲第一点，就是人生是什么？人生是啥物事？拿科学的研究结果来讲，我在民国十二年发表了十条，这十条就是武昌有一个主教，称为新的十诫，说我是中华基督教的危险物的。十条内容如下：

（一）要知道空间的大。拿天文、物理考察，得着宇宙之大；从前孙行者翻筋斗，一翻翻到南天门，一翻翻到下界，天的观念，何等的小？现在从地球到银河中间的最近的一个星，中间距离，照孙行者一秒钟翻十万八千里的速率计算，恐怕翻一万万年也翻不到，宇宙是何等的大？地球是宇宙间的沧海之一粟，九牛之一毛，我们人类，更是小，真是不成东西的东西！以前看得人的地位太重了，以为是万物之灵，同大地并行，凡是政治不良，就有彗星、地震的征象，这是错的。从前王充很能见得到，说："一个虱子不能改变那裤子里的空气，和那人类不能改变皇天一样。"所以我们眼光要大。

（二）时间是无穷的长。从地质学、生物学的研究，晓得时间是无穷的长，以前开口五千年，闭口五千年，以为目空一切；不料世界太阳系的存在，有几万万年的历史，地球也有几万万年，生物至少有几千万年，人类也有二三百万年，所以五千年占很小的地位。明白了时间之长，就可以看见各种进步的演变，不是上帝一刻可以造成的。

（三）宇宙间自然的行动。根据了一切科学，知道宇宙万物都有一定不变的自然行动。"自然自己，也是如此"，就是自己自然如此，各物自己如此的行动，并没有一种背后的指示，或是一个主宰去规范他们。明白了这点，对于月蚀是月亮被天狗所吞的种种迷信，可以打破了。

（四）物竞天择的原理。从生物学的知识，可以看到物竞天择的原理。鲫鱼下卵有几百万个，但是变鱼的只有几个；否则就要变成“鱼世界”了！大的吃小的，小的又吃更小的，人类都是如此。从此晓得人生不受安排，是自己如此的行动；否则要安排起来，为什么不安排一个完善的世界呢？

（五）人是什么东西。从社会学、生理学、心理学方面去看一，人是什么东西？吴稚晖先生说：“人是两手一个大脑的动物，与其他的不同，只在程度上的区别罢了。”人类的手，与鸡、鸭的掌差不多，实是他们的弟兄辈。

（六）人类是演进的。根据了人种学来看，人类是演进的；一因为要应付环境，所以要慢慢的变；不变不能生存，要灭亡了。所以从下等的动物，慢慢演进到高等的动物，现在还是演进。

（七）心理受因果律的支配。根据心理学、生物学来讲。心理现状是有因果律的。思想、做梦，都受因果律的支配，是心理、生理的现象，和头痛一般；所以人的心理说是超过一切，是不对的。

（八）道德、礼教的变迁。照生理学、社会学来讲，人类道德、礼教也变迁的。以前以为脚小是美观，但是现在脚小要装大了。所以道德、礼教的观念，正在改进。以二十年、二百年或二千年以前的标准，来判断二十年、二百年、二千年后的状况，是格格不相入的。

（九）各物都有反应。照物理、化学来讲，物质是活的，原子分为电子，是动的。石头倘然加了化学品，就有反应，像人打了一记，就有反动一样。不同的，只在程度不同罢了。

（十）人的不朽。根据一切科学知识，人是要死的，物质上的腐败，和猫死狗死一般，但是个人不朽的工作，是功德：在立德，立功，立言。善恶都是不朽。一块痰中，有微生物，这菌能散布到空间，使空气都恶化了；人的言语，也是一样。凡是功业、思想，都能传之无穷；匹夫匹妇，都有其不朽的存在。

我们要看破人世间，时间之伟大，历史的无穷，人是最小的动物，处处都在演进，要去掉那小我的主张，但是那小小的人类，居然现在对于制度、政治各种都有进步。

以前都是拿科学去答复一切，现在要用什么方法去解决人生，就是哪样生活？各人有各人的方法，但是，至少要有那科学的方法，精神、态度去做。分四点来讲：

一、怀疑。第一点是怀疑。三个弗相信的态度，人生问题就很多。有了怀疑的态度，就不会上当。以前我们幼时的智识，都从阿金、阿狗、阿毛等黄包车夫、娘姨处学来；但是现在自己要反省，问问以前的知识是否靠得住？

二、事实。我们要实事求是，现在像贴贴标语，什么打倒田中义一等，都仅务虚名，像豆腐店里生意不好，看看“对我生财”泄闷一样。又像是以前的画符，一画符病就好的思想。贴了打倒帝国主义，帝国主义就真个打倒了么？这不对，我们应做切实的工作，奋力的做去。

三、证据。怀疑以后，相信总要相信，但是相信的条件，就是拿凭据来。有了这一句，论理学诸书，都可以不读。赫胥黎的儿子死了以后，宗教家去劝他信教，但是他很坚决的说，“拿有上帝的证据来。”有了这种态度，就不会上当。

四、真理。朝夕的去求真理，不一定要成功，因为真理无穷，宇宙无穷；我们去寻求，是尽一点责任，希望在总分上，加上万万分之一。胜固是可喜，败也不足忧。明知赛跑，只有一个人第一，我们还要跑去，不是为我为私，是为大家。发明不是为发财，是为人类。英国有一个医生，发明了一种治肺的药。但是因为自秘，就被医学会开除了。

所以科学家是为求真理。庄子虽有“吾生也有涯，而知也无涯，以有涯逐无涯，殆已”的话头，但是我们还要向上做去，得一分就是一分，一寸就是一寸，可以有阿基米德氏发现浮力时叫Eureka的快活。有了这种精神，做人就不会失望。所以人生的意味，全靠你自己的工作；你要它圆就圆，方就方，是有意味；因为真理无穷，趣味无穷，进步快活也无穷尽。

坚持自我，修养自己

爱默生

我们还应该检查一下自我修养的情况。正是由于缺乏自我修养，所以人们便疯狂地迷信旅游，把意大利、英国、埃及奉若神明。直到现在为止，所有受过教育的美国人仍然对旅游趋之若鹜。就是这些人，使英国、意大利或者希腊，在人们的想象中变得巍然高大，令人肃然起敬，但他们自己，却像一根地轴，永远固守在原地不动。在我们进行决断的时候，我们感到职责就在我们的岗位上。灵魂决不是一个东游西荡的旅游爱好者。智者总是足不出户，如果有必要、有义务，叫他在什么场合离开他的住所，或者到外国去，他也毫无怨言，但他好像仍然待在自己的家里，而且还用他的面部表情使人们意识到，他是在传播智慧和美德，像一位君王一样访问一个个城市和人物，而不是像一个得过且过的商贩或仆从。

请注意，我并没有武断地反对为了艺术、为了研究和慈善目的的环球旅行，只要人首先喜欢家居，并不指望通过旅游获得比他已掌握的知识更高超的知识而出国，那请他随便好了。可是，如果谁为了取乐，为了获得他手里没有的东西而旅游，那么，谁就在做脱离自身的旅行，而使自己混迹于老古董之中，即便是青春年少的好韶光，也很快就会腐朽老去。在底比斯，在帕尔米拉，他的意志和心灵，已经变得像那些城市一样，古老而坍塌。他把废墟带进了废墟。

对于傻瓜而言，旅游是最快乐的天堂。我们最初的旅程使我们发现：对我们来说，地方无关紧要。在家里，我梦想着：在那不勒斯，在罗马，我可以陶醉在美的海洋中，丢掉我的忧伤。我打点好衣箱，拥抱过朋友，登船航海，最后在那不勒斯醒来，旁边还是那严峻的事实，那个我原来逃避的、毫不退让的、同一个忧伤的自我。我寻找梵蒂冈和那些宫殿。我假装沉醉在景色和联想中，可是实际上，我从来就没有沉醉过。无论走到哪儿，我的巨人都陪伴着我。

还有，我们必须警惕，对旅游的狂热是影响整个智力活动的一种更深刻的不健全的征兆。如果是这样的话，那么，我们的智力就是漂泊不定的，我们的教育制度所培养的就是骚动不安。尽管我们的身体被迫待在家里，可是我们的心灵却仍然无家可归，四处彷徨。我们模仿，除了心灵的彷徨之外，模仿还会是别的什么东西呢？我们的房屋是按外国情调建筑的；我们的橱架是用外国的装饰品装饰的；我们的见解，我们的爱好，我们的才能，都一无是处，仍然追随着“过去”和“远方”。

灵魂在艺术已经繁荣的地方创造了艺术。艺术家正是在他自己的心灵里寻找他的原型。那只不过是把他自己的思想运用到要做的事情上和要观察的环境中。既然这样，我们为什么还要照搬陶立克或哥特式的原型呢？思想的美、便利、宏伟以及离奇的表现，离我们离他人都是一样近，如果美国的艺术家愿意满怀希望和爱心研究他要做的事，考虑过气候、土壤、白天的长度、人民的需要、政府的习性和形式之后，他就会创造一座人人都觉得住起来合适的房子，而且情趣也会得到满足。

让我们坚持自我吧！千万不要模仿。只要你终生都在修养自己，那么，终有一天，你的天赋会喷薄而出，光彩耀人。然而，如果你对别人的才华亦步亦趋的话，那么，你只能临时地、部分地占用它。每个人所能干得最出色的事情，只有他的造物主才能教给他。除非那人把它表现出来，否则，它究竟是什么，谁也不知道，也无法知道。能教莎士比亚的老师在哪里？能指导富兰克林、华盛顿、培根或牛顿的导师又在何处？每一个伟大的人物都是无与伦比的。

西庇阿的西庇阿主义，正是他无法触及的那一部分东西。无论你怎么研究莎士比亚，你也永远造不出第二个莎士比亚来了。好好地做指派给你的工作吧，不可奢望太高，胆量过大。此时此刻，给了你一种表达方式，勇敢而崇高，犹如菲迪亚斯的巨凿，埃及人的巨型泥刀，摩西或但丁的大笔，但又跟这些不尽相同。灵魂尽管满腹珠玑，辩才无双，也不可能屈尊重复自己，然而，你如果能听见这些鼻祖说的话，你肯定也能用同样一种音调回答他们。因为耳朵和舌头虽然是两种器官，却是一种性质。住在你生命中淳朴、高尚的地域，服从你的心声，你一定会再现以前的世界。

无论你的生活如何卑微，要正视它

梭罗

无论你的生活如何卑微，要正视它，生活下去；不要躲避它，也不要恶语相加。你的生活不像你本人那么糟糕。你最富有的时候，你的生活看上去倒是最贫穷的。

吹毛求疵的人即便在天堂也能挑出瑕疵。要热爱你的生活，尽管生活一贫如洗。即使身处贫民院，你也可能享受一段愉快、兴奋、辉煌的时光。西斜的落日映照在贫民院窗户上的余晖，与照射在富贵人家的豪宅上一样光芒万丈；门前的积雪一样在早春消融。我只看到，一个气定神闲的人在那里可以过着自得其乐的生活，抱着振奋乐观的思想，如同居住在皇宫里一般。依我之见，城镇的贫民倒是往往过着最独立的生活。也许他们十分伟大，对任何事情皆可坦然受之。大多数人认为他们不屑于接受城镇的施救；但是实际上他们经常使用不诚实的手段来维持自己的生计，这是更为不体面的。像圣贤一样，如同栽培花园中的花草一般来培养贫困吧。犯不着千辛万苦以求获得新东西，无论是衣服还是朋友。把旧的翻新，回到它们中去。万事万物没有变，是我们在变。

衣服要卖掉，思想要保留。上帝会证明，你并不需要社会。如果我被终日关闭在阁楼的一隅，如同一只蜘蛛，只要我还有自己的思想，那么世界还是原来那样大。一位哲人曾说过："三军可夺帅也，匹夫不可夺志也。"不要急于谋求发展自己，不要让自己受到各种影响的利用，这全都是浪费。谦卑如同黑暗，展现着天国之光。贫穷与卑贱的阴影笼罩着我们，"看啊！天地万物在我们的眼界中扩大了"。我们常常被提醒，假使上天赐予我们克洛索斯一样的财富，我们的目标必须依然保持不变，我们的手段也将维持基本不变。此外，如果你受到贫困的约束，比如买不起书和报纸，你的经验不过是仅限于最有意义、最为重要的那一部分；你将不得不与那些可以产生最多的糖和淀粉的物质打交道。但是最接近骨头的地方的生活最甜美，你不可能再成为一个无所事事的人。较高层次上的宽宏大量，不会使任何人在较低层次上获得损失。多余的财富只能够买多余之物。人所必需的灵魂是不需要花钱购买的。

我蛰居在一堵铅墙的角落里，铅墙里浇注了一点钟铜的合金。在我正午休息的时候，常常有一阵阵嘈杂不堪的喧闹声从外面传入我的耳中。这是我同代人发出的噪音。我的邻居向我讲述他们与那些知名的绅士淑女之间的奇遇，他们在宴会桌上碰见了哪些显要人物；但是我对这些事情，如同我对《每日时报》的内容一样，毫无兴致。兴趣的对象和谈话的主题主要是围绕服饰打扮和礼节举止；但是呆头鹅总归是呆头鹅，随便你怎么去刻意装扮它。他们向我不断唠叨加利福尼亚和得克萨斯，英格兰和东西印度群岛，来自佐治亚或马萨诸塞的尊敬的某某先生，全是短暂易逝、昙花一现的事情，直到我几乎要像马穆鲁克大人一样从他们的庭院中逃之夭夭。

我喜欢进入我自己的世界——不愿引人注目地走在盛大的游行庆祝队伍中，而愿与宇宙的缔造者平等地并肩同行，如果我可以的话——不愿生活在这个浮躁不安、神经质的、喧嚣忙碌、轻浮浅薄的19世纪，而愿随着19世纪一天天地消逝，或立或坐，思考着。人们在庆祝些什么呢？他们都参加了某个筹备委员会，时时刻刻盼着某个大人物的演说。上帝只是今天的轮值主席，韦伯斯特是他的演说家。那些强烈地、合情合理地引起我注意的事物，我喜爱掂量它们的分量，处理它们，被它们吸引——决不吊在秤杆上来试图减轻重量——对任何事情不妄加推测，而是完全按照其实际情况来处理；只走我自能够走的那条唯一的道路，在这条路上，没有任何力量可以阻止我。在打下坚实稳固的基础之前，就开始着手建造起一座拱门，这不会给我带来任何满足。任何地方的底部都是结实的。我们读到过这样一个故事，一个旅行者问一个男孩，他面前的这块沼泽底部是否坚固。男孩回答说是坚固的。可是不久，旅行者的马深陷沼泽，直到马的腰部，他对男孩说：“我还以为，你告诉我的是这块沼泽底部是坚固的。”“是坚固的啊，”男孩回答，“可是你还没有到达它的底部一半深呢。”社会的泥沼和流沙也是如此，但是只有少年老成的人才了解这一点。

对于一切事物，如实观照领略

夏丏尊

新近因了某种因缘，和方外友弘一和尚聚居了好几日。和尚未出家时，曾是国家艺术界的先辈，披剃以后，专心念佛，不消说，艺术上的话是不谈起了的。可是我在这几日的观察中，却深

深地受到了艺术的刺激。

他这次从温州来宁波，原预备到了南京再往安徽九华山去的。因为江浙开战，交通有阻，就在宁波暂止，挂褡于七塔寺。我得知就去望他。云水堂中住着四五十个游方僧。铺有两层，是统舱式的。他住在下层，见了我微笑招呼，和我在廊下板凳上坐了，说：

“到宁波三日了。前两日是住在某某旅馆（小旅馆）里的。”

“那家旅馆不十分清爽吧。”我说。

“很好！臭虫也不多，不过两三只。主人待我非常客气呢！”

他又和我说了些轮船统舱中茶房怎样待他和善，在此地挂褡怎样舒服等等的话。

我惘然了。继而邀他明日同往白马湖去小住几日，他初说再看机会，及我坚请，他也就欣然答应。

行李很是简单，铺盖竟是用破席子包的。到了白马湖后，在春社里替他打扫了房间，他就自己打开铺盖，先把那破席子珍重地铺在床上，摊开了被，再把衣服卷了几件作枕。拿出黑而且破得不堪的毛巾走到湖边洗面去。

“这手巾太破了，替你换一条好吗？”我忍不住了。

“哪里！还好用的，和新的也差不多。”

他把那破手巾珍重地张开来给我看，表示还不十分破旧。

他是过午不食的。第二日未到午，我送了饭和两碗素菜去（他坚说只要一碗的，我勉强再加了一碗），在旁坐了陪他。碗里所有的原只是些莱菔、白菜之类，可是在他却几乎是要变色而作的盛馔，叮咛喜悦地把饭划入口里，郑重地用筷夹起一块莱菔来的那种了不得的神情，我见了几乎要流下欢喜惭愧之泪了！

第二日，有另一位朋友送了四样菜来斋他，我也同席。其中

有一碗咸得非常的，我说：

“这太咸了！”

“好的！咸也有咸的滋味，也好的！”

我家和他寄寓的春社相隔有一段路，第三日，他说饭不必送去，可以自己来吃，且笑说乞食是出家人的本分等的话。

“那么逢天雨仍替你送去罢！”

“不要紧！天雨，我有木屐哩！”他说出木屐二字时，神情上竟俨然是一种了不得的法宝。我总还有些不安。他又说：

“每日走些路，也是一种很好的运动。”

我也就无法反对了。

在他，世间竟没有不好的东西，一切都好，小旅馆好，统舱好，挂褡好，粉破的席子好，破旧的手巾好，白菜好，莱菔好，咸苦的蔬菜好，跑路好，什么都有味，什么都了不得。

这是何等的风光啊！宗教上的话且不说，琐屑的日常生活到此境界，不是所谓生活的艺术化了吗？人家说他在受苦，我却要说他是享乐。当我见他吃莱菔白菜时那种愉悦叮咛的光景，我想：莱菔白菜的全滋味、真滋味，怕要算他才能如实尝得的了。对于一切事物，不为因袭的成见所缚，都还他一个本来面目，如实观照领略，这才是真解脱、真享乐。

艺术的生活，原是观照享乐的生活，在这一点上，艺术和宗教实有同一的归趋。凡为实利或成见所缚，不能把日常生活咀嚼玩味的，都是与艺术无缘的人们。真的艺术，不限在诗里，也不

限在画里，到处都有，随时可得。能把他捕捉了用文字来表现的是诗人，用形及五彩表现的是画家。不会作诗，不会作画，也不要紧，只要对于日常生活有观照玩味的能力，无论谁何，都能有权去享受艺术之神的恩宠。否则虽自号为诗人画家，仍是俗物。

与和尚数日相聚，深深地感到这点。自怜囫囵吞枣地过了大半生，平日吃饭着衣，何曾尝到过真的滋味！乘船坐车，看山行路，何曾领略到真的情景！虽然愿从今留意，但是去日苦多，又因自幼未曾经过好好的艺术教养，即使自己有这个心，又何尝有十分把握！言之怃然！

生活是为了生活本身，而不是为了别人的观瞻

爱默生

按照目前流行的标准，与其说规则就是美德，毋宁说例外才是美德。不要总是把一个人和他的德行搅和在一起，他们并不是

一回事。人们行善做好事，譬如见义勇为、乐善好施等，没有什么好奇怪的，这就像他们如果不参加日常的游行就一定要交钱补过一样。干这种事情，是人生活在世界上的一种装饰或赔礼——就像病号和精神病患者必须交纳昂贵的膳食费一样。他们的德行就是赎罪苦修。

我可不想赎罪，我只想好好地生活在这个世界上。我生活是为了生活本身，而不是为了别人的观瞻。我不愿生活光怪陆离、动荡不安，为了过一种真实、平等的生活，我倒宁愿降格以求。我要的是健全甜美的生活，而不需要规定饮食和放血。我要的是“你是一个人”这样的声明，而不是撇开人只讲他的行动。我知道，无论我是做出这些所谓的高

明行动，或者是避免做出这样的高明行动，对我本人来说，并没有任何区别。我不愿意在我已经拥有固定权利的地方再出钱购买特权。虽然我才疏学浅，但我却实际存在着，因此，我不需要为了使我自己安心，或者是为了使我的伙伴安心，而需要别人的保证才能生活。

我要做的事情，一定是与我有关的事情，而不是别人想要我做的事情。无论是在实际生活中，还是在精神生活中，这一规定都一视同仁，所以，完全可以用它做标尺来衡量伟大和渺小。因为，你总是发现一些这样的人，对你的职责，他们认为自己了解得比你自己了解得还要清楚，因此，这一规定就显得更加严酷了。在茫茫人海中，按照世人的观点生活很容易；在离群索居时，按照自己的想法生活也并不困难；可是，伟人之所以是伟

人，就在于他在大庭广众之中依然完好地保持了自己遗世独立的个性。

为什么我反对你们顺从那些腐朽堕落的习俗呢？因为这样没有任何的益处，而只会分散你的注意力，使你碌碌无为。它浪费你宝贵的时间，使你在人们的脑海中印象模糊不清。如果你维护的是一座僵死的教堂，如果你是在替一个僵死的社会在卖命，跟在一个大党的屁股后面，要么投政府的反对票，要么投它的赞成票，就像无能的管家婆一样，总是在摆弄别人的餐桌……如果是这样的话，你就始终生活在别人的阴影之中，人们就很难发现真正的你。而且，在这样的生活中，多少宝贵的精力悄悄地溜走了。然而，只要做你自己的工作，不管它是高贵的工作，还是平凡的工作，人们就会了解你。只要做你自己的工作，你就会逐渐地充实你自己。作为人，我们必须考虑这样的事情：顺从这种无聊的把戏，完全是在同生活捉迷藏，而我们本来是应该投入到生活中去的。只要不是傻瓜，谁都会知道这里面千篇一律的鬼把戏。譬如，如果我知道了你的派别，在你还没有开口说话之前，我就已经知道了你的论调。再比如，我曾经听说一位牧师把该教会制定的一种制度的权宜之计宣布为布道的题目，我早就知道了，在他那陈腐的嘴巴里不会吐出一句新鲜自然的话来。尽管他巧舌如簧，把制定制度的根据说得天花乱坠，我也知道，他决不会按照自己所说的去做一丁点的。我敢

保证，他只看问题的一个方面，也就是教会允许看的那个方面，而且，他不是作为一个个人去看的，而只能作为一个教区牧师去看。难道我不知道，他不过是一个受聘的律师，在法官席上的那些派头，都不过是无聊透顶的装腔作势而已。

唉，大多数人已经作茧自缚了，用一块庸俗的手绢蒙住了自己的眼睛，把自己拴到某一个通用的观点上。这种顺从不仅使他们在几件事情上弄虚作假，编造几句谎言，而是在所有的事情上都弄虚作假，胡说八道。所以，他们的每一个真理都不怎么真，他们的二不是真正的二，他们的四也不是真正的四。因此，从他们口中说出来的每一句话都使我们懊恼万分，我们不知道该从哪儿着手，叫他们改邪归正。与此同时，本性也急不可待地给我们穿上我们所依赖的党派的囚服，我们逐渐长成了只有一副面孔，一种身材，渐渐地学会了最温顺表情的蠢驴。特别是那种禁欲修行的经历，它也成功地在一般历史中大显身手。对了，我指的就是“那颂扬的蠢脸”，那强装的笑容，那是我们在跟人相处时、在我们毫不感兴趣的话题中搭讪时装出来的。肌肉不是自然地活动，而是由一种低劣不堪、专横跋扈的力量拨弄着，皮笑肉不笑的，紧紧地绷在脸上，心里实在不是滋味。

生活的“为什么”，就是生活的意思

胡适

哪样的生活可以叫做新生活呢？

我想来想去，只有一句话。新生活就是有意思的生活。

你听了，必定要问我，有意思的生活又是什么样子的生活呢？

我且先说一两件实在的事情做个样子，你就明白我的意思了。

前天你没有事做，闲的不耐烦了，你跑到街上一个小酒店里，打了四两白干，喝完了，又要四两，再添上四两。喝的大醉了，同张大哥吵了一回嘴，几乎打起架来。后来李四哥来把你拉开，你气忿忿的又要了四两白干，喝的人事不知，幸亏李四哥把你扶回去睡了。昨儿早上，你酒醒了，大嫂子把前天的事告诉你，你懊悔的很，自己埋怨自己：“昨儿为什么要喝那么多酒呢？可不是糊涂吗？”

你赶上张大哥家去，作了许多揖，赔了许多不是，自己怪自己糊涂，请张大哥大量包涵。正说时，李四哥也来了，王三哥也来了。他们三缺一，要你陪他们打牌。你坐下来，打了十二圈牌，输了一百多吊钱。你回得家来，大嫂子怪你不该赌博，你又懊悔的很，自己怪自己道："是呵，我为什么要陪他们打牌呢？可不是糊涂吗？"

诸位，像这样子的生活，叫做糊涂生活，糊涂生活便是没有意思的生活。你做完了这种生活，回头一想，"我为什么要这样干呢？"你自己也回不出究竟为什么。

诸位，凡是自己说不出"为什么这样做"的事，都是没有意思的生活。

反过来说，凡是自己说得出"为什么这样做"的事，都可以说是有意思的生活。

生活的"为什么"，就是生活的意思。

人同畜牲的分别，就在这个"为什么"上。你到万牲园里去看那白熊一天到晚摆来摆去不肯歇，那就是没有意思的生活。我们做了人，应该不要学那些畜牲的生活。畜牲的生活只是糊涂，只是胡混，只是不晓得自己为什么如此做。一个人做的事应该件件事问得出一个"为什么"。

我为什么要干这个？为什么不干那个？回答得出，方才可算是一个人的生活。

我们希望中国人都能做这种有意思的新生活。其实这种新生活并不十分难，只消时时刻刻问自己为什么这样做，为什么不那样做，就可以渐渐的做到我们所说的新生活了。

诸位，千万不要说“为什么”这三个字是很容易的小事。你打今天起，每做一件事，便问一个为什么，——为什么不把辫子剪了？为什么不把大姑娘的小脚放了？为什么大嫂子脸上搽那么多的脂粉？为什么出棺材要用那么多叫化子？为什么娶媳妇也要用那么多叫化子？为什么骂人要骂他的爹妈？为什么这个？为什么那个？——你试办一两天，你就会觉得这三个字的趣味真是无穷无尽，这三个字的功用也无穷无尽。

诸位，我们恭恭敬敬的请你们来试试这种新生活。

三
追寻生命的真义

个人生存的时候，当努力造成幸福，享受幸福；并且留在社会上，后来的个人也能够享受。递相授受，以至无穷。

人生的真义

陈独秀

人生在世，究竟为的甚么？究竟应该怎样？这两句话实在难得回答的很，我们若是不能回答这两句话，糊糊涂涂过了一生，岂不是太无意识吗？自古以来，说明这个道理的人也算不少，大概约有数种：

第一是宗教家，像那佛教家说：世界本来是个幻象，人生本来无生；"真如"本性为"无明"所迷，才现出一切生灭幻象；一旦"无明"灭，一切生灭幻象都没有了，还有甚么世界，还有甚么人生呢？又像那耶稣教说：人类本是上帝用土造成的，死后仍旧变为泥土；那生在世上信从上帝的，灵魂升天；不信上帝的，便魂归地狱，永无超生的希望。

第二是哲学家，像那孔、孟一流人物，专以正心、修身、齐家、治国、平天下，做一大道德家、大政治家，为人生最大的目的。又像那老、庄的意见，以为万事万物都应当顺应自然；人生知足，便可常乐，万万不可强求。又像那墨翟主张牺牲自己，利益他人为人生义务。又像那杨朱主张尊重自己的意志，不必对他人讲甚么道德。又像那德国人尼采也是主张尊重个人的意志，发挥个人的天才，成功一个大艺术家、大事业家、叫做寻常人以上的“超人”，才算是人生目的；甚么仁义道德，都是骗人的说话。

第三是科学家。科学家说人类也是自然界一种物质，没有甚么灵魂；生存的时候，一切苦乐善恶，都为物质界自然法则所支配；死后物质分散，另变一种作用，没有联续的记忆和知觉。

这些人所说的道理，各个不同。人生在世，究竟为的甚么，应该怎样呢？我想佛教家所说的话，未免太迂阔。个人的生灭，虽然是幻象，世界人生之全体，能说不是真实存在吗？人生“真如”性中，何以忽然有“无明”呢？既然有了“无明”，众生的“无明”，何以忽然都能灭尽呢？“无明”既然不灭，一切生灭现象，何以能免呢？一切生灭现象既不能免，吾人人生在世，便要想想究竟为的甚么，应该怎样才是。耶教所说，更是凭空捏造，不能证实的了。

上帝能造人类，上帝是何物所造呢？上帝有无，既不能证实；那耶教的人生观，便完全不足相信了。孔、孟所说的正心、修身、齐家、治国、平天下，只算是人生一种行为和事业，不能包括人生全体的真义。吾人若是专门牺牲自己，利益他人，乃是为他人而生，不是为自己而生，决非个人生存的根本理由，墨子的思想，也未免太偏了。杨朱和尼采的主张，虽然说破了人生的真相，但照此极端做去，这组织复杂的文明社会，又如何行得过去呢？

人生一世，安命知足，事事听其自然，不去强求，自然是快活得很。但是这种快活的幸福，高等动物反不如下等动物，文明社会反不如野蛮社会；我们中国人受了老、庄的教训，所以退化到这等地步。科学家说人死没有灵魂，生时一切苦乐善恶，都为物质界自然法则所支配，这几句话倒难以驳他。但是我们个人虽是必死的，全民族是不容易死的，全人类更是不容易死的了。全民族全人类所创的文明事业，留在世界上，写在历史上，传到后代，这不是我们死后联续的记忆和知觉吗？

照这样看起来，我们现在时代的人所见人生真义，可以明白了。今略举如下：

（一）人生在世，个人是生灭无常的，社会是真实存在的。

（二）社会的文明幸福，是个人造成的，也是个人应该享受的。

（三）社会是个人集成的，除去个人，便没有社会；所以个人的意志和快乐，是应该尊重的。

（四）社会是个人的总寿命，社会解散，个人死后便没有联续的记忆和知觉；所以社会的组织和秩序，是应该尊重的。

（五）执行意志，满足欲望（自食色以至道德的名誉，都是欲望），是个人生存的根本理由，始终不变的（此处可以说“天不变，道亦不变”）。

（六）一切宗教、法律、道德、政治，不过是维持社会不得已的方法，非个人所以乐生的原意，可以随着时势变更的。

（七）人生幸福，是人生自身出力造成的，非是上帝所赐，也不是听其自然所能成就的。若是上帝所赐，何以厚于今人而薄于古人？若是听其自然所能成就，何以世界各民族的幸福不能够一样呢？

（八）个人之在社会，好像细胞之在人身，生灭无常，新陈代谢，本是理所当然，丝毫不足恐怖。

（九）要享幸福，莫怕痛苦。现在个人的痛苦，有时可以造成未来个人的幸福。譬如有主义的战争所流的血，往往洗去人类或民族的污点。极大的瘟疫，往往促成科学的发达。

总而言之，人生在世，究竟为的甚么？究竟应该怎样？我敢说道："个人生存的时候，当努力造成幸福，享受幸福；并且留在社会上，后来的个人也能够享受。递相授受，以至无穷。"

世界观与人生观

蔡元培

世界无涯涘也，而吾人乃于其中占有数尺之地位；世界无终始也，而吾人乃于其中占有数十年之寿命；世界之迁流如是其繁变也，而吾人乃于其中占有少许之历史。以吾人之一生较之世界，其大小久暂之相去既不可以数量计，而吾人一生又决不能有几微遁出于世界以外，则吾人非先有一世界观，决无所容喙于人生观。

虽然，吾人既为世界之一分子，决不能超出世界以外，而考察一客观之世界，则所谓完全之世界观何自而得之乎？曰凡分子必具有全体之本性，而既为分子则因其所值之时地而发生种种特性，排去各分子之特性而得一通性，则即全体之本性矣。吾人为世界一分子，凡吾人意识所能接触者无一非世界之分子。研究吾人之意识而求其最后之原素为物质及形式，犹相对待也。超物质形式之珍域而自在者，唯有意志。于是吾人得以意志为世界各分子之通性，而即以是为世界之本性。

本体世界之意志，无所谓鹄的也。何则？一有鹄的，则悬之有其所，达之有其时，而不得不循因果律以为达之之方法，是仍落于形式之中，含有各分子之特性，而不足以为本体。故说者以本体世界为黑暗之意志，或谓之盲瞽之意志，皆所以形容其异于现象世界各各之意志也。现象世界各各之意志则以回向本体为最后之大鹄的，其间接以达于此大鹄的者又有无量数之小鹄的，各以其间接于最后大鹄的之远近为其大小之差。

最后之大鹄的何在？曰合世界之各分子息息相关，无复有彼此之差别，达于现象世界与本体世界相交之一点是也。自宗教家言之，吾人固未尝不可一瞬间超轶现象世界种种差别之关系，而完全成立为本体世界之大我。然吾人于此时期既尚有语言文字之交通，则已受范于渐法之中，而不以顿法，于是不得不有所谓种种间接之作用。缀辑此等间接作用，使厘然有系统可寻者，进化史也。

统大地之进化史而观之，无机物之各质点，自自然引力外，殆无特别相互之关系；进而为有机之植物，则能以质点集合之机关共同操作，以行其延年传种之作用；进而为动物，则又于同种类间为亲子朋友之关系，而其分职通功之例视植物为繁。及进而为人类，则由家庭而宗族，而社会，而国家，而国际，其互相关系之形式既日趋于博大，而成绩所留，随举一端，皆有自阂而通，自别而同之趋势。例如昔之工艺，自造之，而自用之耳。今则一人之所享受，不知经若干人之手而后成；一人之所操作，不知供若干人之利用。

昔之知识，取材于乡土志耳。今则自然界之记录，无远弗届，远之星体之运行，小之原子之变化，皆为科学所管领。由考古学人类学之互证，而知开明人之祖先与未开化人无异；由进化学之研究，而知人类之祖先与动物无异。是以语言风俗宗教美术之属，无不合大地之人类以相比较。而动物心理，动物言语之属，亦渐为学者所注意。昔之同情，及最近者而止耳。是以同一人类，或状貌稍异，即痛痒不复相关，而甚至于相食。其次则死之，奴之。今则四海兄弟之观念为人类所公认，而肉食之戒，虐待动物之禁，以渐流布。所谓仁民而爱物者，已成为常识焉。夫已往之世界，经其各分子经营而进步者其成绩固已如此，过此以往，不亦可比例而知之欤？

道家之言曰：“知足不辱，知止不殆。”又曰：“小国寡民，使有什伯之器而不用；使民重死而不远徙，虽有舟舆，无所乘之，虽有甲兵，无所陈之；使民复结绳而用之，甘其食，美其服，安其居，乐其俗；邻国相望，鸡犬之声相闻，民至老死而不相往来。”此皆以目前之幸福言之也。自进化史考之，则人类精神之趋势乃适与相反。人满之患虽自昔借为口实，而自昔探险新地者率生于好奇心，而非为饥寒所迫。南北极苦寒之所，未必于吾侪生活有直接利用之资料，而冒险探极者睦相接。由推轮而大格，由桴槎而方舟，足以济不通矣，乃必进而为汽车汽船及自动车之属。近则飞艇飞机更为竞争之的。其构造之初必有若干之试验者供其牺牲，而初不以及身之不及利用而生悔。文学家美术家最高尚之著作，被崇拜者或在死后，而初不以及身之不得信用而辍业。用以知：为将来而牺牲现在者，又人类之通性也。

人生之初，耕田而食，凿井而饮，谋生之事至为繁重，无暇为高尚之思想。自机械发明，交通迅速，资生之具日趋于便利。循是以往，必有寂粟如水火之一日，使人类不复为口腹所累，而得专致力于精神之修养。今虽尚非其时，而纯理之科学，高尚之美术，笃嗜者固已有甚于饥渴，是即他日普及之朕兆也。科学者，所以祛现象世界之障碍，而引至于光明。美术者，所以写本体世界之现象，而提醒其觉性。人类精神之趋向既毗于是，则其所到达之点盖可知矣。

然则，进化史所以诏吾人者：人类之义务，为群伦不为小己，为将来不为现在，为精神之愉快而非为体魄之享受，固已彰明而较著矣。而世之误读进化史者，乃以人类之大鹄的为不外乎具一身与种性之生存，而遂以强者权利为无上之道德。夫使人类果以一身之生存为最大之鹄的，则将如神仙家所主张，而又何有于种姓？如日人类固以绵延其种姓为最后之鹄的，则必以保持其单纯之种姓为第一义，而同姓相婚，其生不善，古今开明民族，往往有几许之混合者。是两者何足以为究竟之鹄的乎？孔子曰："生无所息。"庄子曰："造物劳我以生。"诸葛孔明曰："鞠躬尽瘁，死而后已。”是吾身之所以欲生存也。北山愚公之言曰：“虽我之死，有子存焉；子又生孙，孙又生子；子子孙孙，无穷匮也。而山不加增，何若而不平。”是种姓之所以欲生存也。人类以在此世界有当尽之义务，不得不生存其身体。又以此义务者非数十年之寿命所能竣，而不得不谋其种姓之生存。以图其身体若种姓之生存，而不能不有所资以营养，于是有吸收之权利。又或吾人所以尽务之身体若种姓，及夫所资以生存之具，无端受外界之侵害，将坐是而失其所以尽务之自由，于是有抵抗之权利。此正负两式之权利，由义务而演出者也。今曰吾人无所谓义务，而权利则可以无限，是犹同舟共济，非合力不足以达彼岸，乃强有力者以进行为多事，而劫他人所持之掉揖以为己有，岂非颠倒之尤者乎？

昔之哲人有见于大鹄的之所在，而于其他无量之小的又准其距离于大鹄的之远近以为大小之差。于其常也，大小鹄的并行而不悖。孔子曰：“己欲立而立人，己欲达而达人。”孟子曰：“好乐，好色，好货，与人同之。”是其义也。于其变也，细小以申大。尧知子丹朱之不肖，不足授天下。授舜则天下得其利而丹朱病，授丹朱则天下病而丹朱得其利，尧曰终不以天下之病，而利一人，而卒授舜以天下。禹治洪水，十年不窥其家。孔子曰：“志士仁人，无求生以害仁，有杀身以成仁。”墨子摩顶放路，利天下为之。孟子曰：“生与义不可得兼，舍生而取义。”范文正曰：“一家哭，何如一路哭。”是其义也。循是以往，则所谓人生者，始合于世界进化之公例，而有真正之价值。否则，庄生所谓天地之委形委蜕已耳，何足选也！

把自己的生命，换成有永久价值的事业

罗家伦

我们人类的生命很多，宇宙间万物的生命更多。生之现象，非常普遍。但是我们为什么生在世上？这个问题，数千年来经过多少哲学家科学家的研讨和追求。如果做了人而对于人生的意义不明了，浑浑噩噩，糊涂一世，那他真是白活了。因为对于本身的生命还不明白，我们的行为，就没有标准；我们的态度，也无从确定。有许多人觉得生活很是痛苦，恨不得立刻把自己的生命毁灭掉。他觉得活在世上，乃是尝着无穷尽的痛苦；在生命的背后，似乎有一种黑暗的魔力，时刻逼着他向苦难的路上推动，使他欲生不能，欲死不得；因此他常想设法解除这生命的痛苦。佛教所谓“涅槃”，也就是谋解除生命痛苦的一个方法。不过是否真能解除，乃是另一问题。又有些人认生命是快乐的，以为世界上一切事物，宇宙间一切创作，都是供我们享受的，遂成为一种

绝对的享乐主义。其他对于生命所抱的态度很多，要皆各有其见解。我们若是不知道生命真正的意义，就会彷徨歧路，感觉生命的空虚，于是一切行动，茫无所措。所以我们对于这个问题，至少应该有一种初步的，也就是基本的反省。

第一，在无量数生命中，人的生命何以有特别意义？

如果就“生命”二字来讲，他的意义非常广泛。谈到宇宙的生命，其含义更深。这个纯粹的哲学问题，此处暂且不讲。生命既然很多，人类的生命，不过为宇宙无穷生命之一部分。庄子说：“朝菌不知晦朔，蟪蛄不知春秋。”朝菌蟪蛄，何尝没有生命？大之如“天山龙”，固曾有其生命，小之如微生物，也有生命。但是在这无量数的生命中，为什么人的生命，才有特殊的意义？为什么人的生命，才有特殊的价值？为什么只有人才对他的生命发生意义和价值的问题？

第二，生命是变动的，物我之间，究有什么关系？

生命是变动的。我们身上的细胞，每天有多少新的生出来，多少陈旧的逐渐死去。这种新陈代谢的变动，可说无一刻停止。我们采取动植矿物的滋养成分为食料，以增加我们的新细胞，维持我们的生长；但一旦人死了，身体的有机组织，又渐腐败分离，为其他动植矿物所吸收。生命之循环，变化无已。我们若分析人类的生命，与其他动植物的生命，可以发生许多哲学上的推论。如近代柏格森、杜里舒等哲学系统，都是由此而来的。即梁启超的今日之我非昨日之我，故不惜今日之我与昨日之我宣战的

一段话，也是由于观察生命不断变动的现象而来的，不过他得到的是不正确的推论罢了。可见我们总是想到在生命不断的变动当中，物我之间究有什么关系这个问题。

第三，生命随着时间容易过去。

生命随着真实的时空不断地过去。人生上寿，不过百年，转瞬消逝，于是便有“生为尧舜死亦枯骨，生为桀纣死亦枯骨”之感。在悠悠无穷的时间中，人的一生不过一刹那。印度人认宇宙曾经多少劫；每劫若干亿万年。人的生命，在这无数劫中，还不是一刹那吗？若仅就生命现在的一刹那看来，时光实在过于短促；生命的价值，如果仅以一刹那之长短来估定，那末人生实在没有多大意义。尧舜苦心经营创制，不过是一刹那的过去；桀纣醉生梦死，作恶殃民，也不过是一刹那的过去。若是把他们的生命价值认为相等，岂非笑话！故以生命之久暂来估定他的意义与价值，当然是不妥。一个人只要有高尚的思想，伟大的人格，虽不生为百岁老人，亦有何伤？否则上寿百岁与三十四十岁而死者，从无穷尽的时间过程看来，都不过是一刹那。欲从这时间久暂上来求得生命的意义，真是

微乎其微。故生命的意义，当然别有所在。这就是我们对于生命初步的反省。我们从此得到了三个认识，就是：生命是无数的，生命是变动的，生命是容易过去的。

人生的意义在能认识和创造生命的价值。宇宙间的生命，既是如此的多，何以只是人类的生命，才有特别的意义？想解答这个问题，是属于价值哲学的研究。人的生命之所以有意义，乃是因为人能认识和创造人生的价值。因为人类能够反省，所以他能对于宇宙整个的系统，求得认识；更能从宇宙的整个系统之中，认识其本身价值之所在。人类的生命，虽然限制在一定的空时系统之中，但是他能够扩大经验的范围，不受环境的束缚；能够离开现实的环境而创造理想的意境。其他动物则不能如此。例如蛙在井中，则以井为其唯一的天地；离开了井，他便一无认识。人类则不然，其意境所托，可以另辟天地。只有人才能把世上的事事物物，分析观察，整理成一个系统，探讨彼此间的关系，以求得存在于这个系统内的原理，并且能综合各种原理，以推寻生命

的究竟。说到人类能创造价值一层，对于生命的意义，尤关重要。一方面他固须接受前人对于人生已定了的价值表，一方面更须自己重新定出价值表来，不断地根据这种新的启示，鼓励自己和领导大家从事于创造事业和完成使命。如此，不但个人的生命，不致等闲消失，并且把整个人类生命的意义提高。古圣先哲，终生的努力，就在于此。这是旁的生命所不能做，而为人类生命所能独到的。所以说宇宙间的生命虽是无量数，惟有人类的生命才有特殊的意义。

人格的统一性与一贯性。生命不断地变，但必须求得当中不变的真理。我们人类虽每天吸收动植矿物的滋养成分，以促进身体上新陈代谢的变化，但是生命当中所包含的真理，决不因生理上的变化而稍移易。这种生命的一贯性和统一性，就是人格。人因为有人格，所以不致因为今日食猪肉，就发猪脾气；明天食牛肉，就发牛脾气。只是以一切的物质，为我们生命的燃料罢了！

至于“今日之我与昨日之我宣战”的见解，正是因为缺乏了整个的人格观念，所以陷入于可笑的矛盾。世界上人与人相处，彼此之间全赖有人格的认识。大家所共认为是善人的，应该今日如此，明日也必定如此；今年如此，明年也必定如此。若是人类无此维系，便无人类的社会可言。所谓人格，就是一贯的自我。他应当是根据我们对于宇宙系统的研究与反省所得到的精确认识，而向着完满的意境前进，向着真善美的世界发展的。他须努力使生命格外美满和谐，使个人的生命与整个宇宙的生命相协调。他更须佐以渊博的知识，培以丰富纯正的感情，从事于促成生命系统的完善。这种好的人格才真是一贯的；因为是一贯的，所以是经得起困苦艰难，决不会随着变幻的外界现象而转移的。有了这种人格，然后在整个宇宙的生命系统当中，人的生命才可立定一个适当的地位。倘若今日如此，明日如彼；苟且偷安，随波逐流，便认为是自我的满足；那不但是无修养，而且是无人格。人与其他生物的分际，就在人格上。人虽吸收了若干外来的食物成分，变其血轮，变其细胞，变其生理上的一切，但他的人格，理想上的人格，永久不变，这就是人格的统一性与一贯性。可见生命虽不断地变，尚有不变者在。这也是人类生命的特殊性。

要保持生力，从力行中以生命来换取伟大的事业生命随着时间容易过去。《庄子》上所说的朝菌蟪蛄，固然生命很短；楚南冥灵，以五百岁为春，五百岁为秋，上古大椿，以八千岁为春，八千岁为秋，这种生命可以说是很长了，然而在整个时间系统之中，又何尝不是一刹那的过去？故生命的长短，不足以决定生命之价值。生命之价值，要看生命存在的意义如何，乃能决定。吾人之生，决定要有一种作为。生命虽易过去，但有一点不灭，那就是以生命所换来永不磨灭的事业。古今来已死过了的生命不知有多少，若以四万万人每人能活到六十岁来计算，那么，每六十年要死去四万万，一百二十年就死去八万万，照此推算下去，有史以来，过去了的生命，不知若干万万。但是古今来立德立功立言的人，名垂青史，虽在千百年以后，也还是为人所景仰崇拜；那些追随流俗，一事无成的人，他的姓名，及身就不为人所知，到了后代，更如飘忽的云烟，一些痕迹也不曾留着。所以唯有事业，才是人生的成绩，人类的遗产。孔子虽死，他的伦理教训，仍然存在；秦始皇虽死，他为中国立下的大一统规模，依然存在；拿破仑已死，他的法典，仍然存在。生命虽暂，而以生命换来的事业，是不会磨灭的；其事业的精神，也永远会由后人继承了去发扬光大。诸葛亮在隆中，自比管乐；管乐生在数百年前，其遗留的事业精神，诸葛亮继承着去发扬光大。左宗棠平新疆，以“新亮”自居，也就是隐然以诸葛亮自承。所以生命之易消逝，不足为忧；所忧者当在这有限的生命，能否换来无限光荣的事业。若是苟且偷生，闲居待死，就是活到九十或百岁，仍与人类社会无关。生命千万不可浪费，浪费生命是最可惜的事。萧伯纳曾叹人生活到可以创造事业的年龄，即行死去，觉得太不

经济。他想如果人能和基督教创世记所载的眉寿是拉一样，活到九百六十九岁，则文明的进步岂不更有可观。但这是文学家的理想，是做不到的事。然而西洋人利用生命的时间，比中国人却经济多了。西洋人从四十岁到七十岁为从事贡献于政治、文艺、哲学、科学以及工商社会事业的有效时期，而中国人四十岁以后即呈衰老，到六十岁就打算就木。两相比较，中国人生命的短促和浪费，真可惊人！我们既然不能希望活到九百六十九岁的高龄，那我们就得把这七八十年的一段生命，好好利用。我们要有长命的企图，我们同时要有短命的打算。长命的企图是我们不要把生命消耗在无意义的方面。短命的打算是我们要活一天做两天的事，活一年做两年的事。不问何时死去，事业先已成就。我们生在世上一天，就得充分的保持和发挥自己的生力一天。无生力的生命，是不会成就事业的，无永久价值的事业的生命，是无声无臭度过的。

所以人生在世，不要因生命之数量过多及其容易消逝而轻视生命，不要因生命之时常变动而随波逐流，终至侮辱生命。我们须得对人生的价值有认识，对人格能维持其一贯性；以鞠躬尽瘁，死而后已的精神，加紧的去把自己的生命，换成有永久价值的事业。这样，才不是偷生，才不是枉生！

摆脱束缚心灵的桎梏

培根

一般说来，人的本性是含蓄而不外露的。它有时候可能被压抑，但是几乎不能被彻底消除。刻意地强制压迫本性，它就会变得越发强烈。阅读经文和畅谈道学仅仅可以使它有所收敛，只有长期形成的习惯才能改变和说服人的本性。想要彻底改变本性的人，制定的改变措施既不能太多，也不能太少。举措太多的话，往往使人顾此失彼，无法面面俱到，结果导致人的灰心丧气；举措太少的话，尽管容易落实，但是却很难将习惯和本性协调起来。

刚开始培养新习惯的时候，可以寻求一些外界的帮助，就像第一次学游泳的人总是借助漂浮物一样。但是，随着时间的推移，新习惯的培养就应该在不利的条件下进行，就像专业的舞蹈者为了取得良好的练习效果而刻意穿着厚底的练舞鞋一样，所练习的东西很难在日常生活中应用，但是只要开始使用就能显示出熟悉、习以为常的状态。如果不良的本性已经长期盘踞在人的生活当中，很难将其消除，那么改变的措施就要遵循循序渐进的原则：在开始阶段，可以试着及时克制自己的感情，就像容易发怒的人总是嘴里默念二十四个字母那样；然后慢慢地开始克制不良习性的蔓延，比如戒酒的人可以把一杯的酒量减少到一口的酒量，一直到最后完全根除酗酒的恶习。但是如果一个人的毅力和决心足够强大，可以在一次的尝试中完全改变旧有的习性，那当然是我们想要的最佳状态；毕竟"那坚决维护精神自由的人，才能最果断地摆脱束缚心灵的桎梏，从而使得烦恼完全远离自身"。

有句古话认为，可以过度地矫正错误的事情；因此，只要那相反的习惯不是恶习，我们可以用它来矫正旧有的恶习，这也不失为一种良好的举措。人不应该一味地迫使自己一蹴而就地养成新的习惯，在这个过程中需要有一个时间的间歇，之所以这样是由于：一是停下来反思可以有效地预防旧有的恶习并巩固良好的新开端；二是这样做防止新养成的习惯兼有恶习的性质，因为如果一个人的本性并不完善，那么他匆忙养成的新习性可能良恶兼有。人不能轻易地相信自己已经革除了旧有的恶习，因为本性一直会长期潜伏，只要一有机会或者一受到诱惑，它就会恢复往日的面目。这就像是《伊索寓言》中的那位姑娘，她是由猫变来的；尽管她可以悠然自在地坐在桌子旁边，但是只要老鼠从她的身前跑过，她的猫的本性就会复发。因此，想要根除旧有恶习的人，要么完全回避可能诱发其本性的场合，要么天天置身其中，这样的话他也许因为司空见惯而不再受其诱惑。

人在独处时，或者感情极度强烈的时刻，或者处于新情况的尝试之中，往往最能显示其本性；这是因为独处时可不必佯装做样，激动时会忘记周遭的清规戒律，而在新情况的尝试中没有一个先在的例子可以仿效。如果人的本性与其从事的职业非常协调，那么这个人是很幸运的；与之相反，那些所从事的职业与其本性格格不入的人，只能无奈地悲叹：“我的心始终无法自由，寄人篱下。”在治学方面，人如果强迫自己从事某一学科的研究，他必须安排出固定的时间；但是如果他所研究的某一学科适合他的本性，那么他就没有必要安排固定的时间，因为只要时间允许，他的全部心思会自动地花费在所研究的科目上面。人的性格既可以长成芳草，也可以长成杂莠，因此我们必须在适当的时候培养前者而根除后者。

做自己情绪的主人

奥里森·马登

时时刻刻都要保持清醒的头脑，并控制自己的情绪，才有可能成为一个成功者。伟大的成功者必定也是一个伟大的思想家。他懂得保持正确的思想，摒弃错误的情绪，扫除所有不利于事业成功的不良因素。他们不会留下错误思想制造的隐患，不会让自己的前途受到威胁。

帕斯卡说过："思想，是人最尊贵之处，而正确地思考，则是人的责任。"虽然这一说法颇为笼统，但是不变的事实就是，我们的思想总是会表现为外在的言行举止。如果不能正确地思考，就无法拥有至高的尊严，得不到快乐幸福的生活，就只能处在社会底层，过着卑微、贫穷、悲惨的生活，一事无成。

想要获得幸福快乐，过上舒适温馨的生活，首要条件就是拥有健康。而正确的思想是健康的决定性因素，我们的思想会影响我们体内的每个细胞、每个器官和每个神经组织。根据以往的经验来看，思想在我们的行为中占据重要地位，它要么削弱我们的精力，要么增添我们的活力。

拥有快乐健康的思想，才能让身体保持健康。而健康的思想必须具备这样一些品质——快乐、善良、乐观、平和、慈爱、无私、知足、从容不迫。这些品质可以协调身体的各个组织的平衡性，确保身体的健康与和谐，而这些品质的拥有者，才能正确地思考自己的人生。

卡莱尔曾经说过："我从那个人的神情和眼神中，看到了一丝希望之光，看到了更远、更美好的未来之光。"我们要想拥有更美好的未来，就必须懂得控制自己的情绪，拥有从容和安静以确保健康和幸福。然而，人们并不是轻易能够战胜错误的思想的。那些恐惧、焦虑、担忧、失望、固执己见，像黑夜的灵魂一般紧紧跟随在你身后，伺机寻找着任何一个将你打入万丈深渊的机会，让你永远远离幸福。而你必须每时每刻都小心翼翼，用最顽强的意志、最诚挚的热情来打败它们，抵抗它们的入侵，克服所有伺机作案的错误心理。

错误的思想象征着脆弱。实际上它是一种精神错乱，因为一个人头脑里的错误思想会不停地破坏自己的身心平衡和机体结构。最幸福、最成功、心智最健全的人，都是能够正确思考的人。他们懂得如何去战胜错误思想的入侵，能够灵活地利用错误思想来挑战自己，使自己的抵抗力愈加强大，从而免受邪恶的入侵。

每个人都知道，错误的思想甚至会造成我们身体和精神双方通通受害的严重后果。医生也清楚，愤怒会让血液里产生毒素，恐惧、焦虑等这些不和谐的心态会对身体各个器官、各种机能组织的正常运作造成严重的干扰和破坏。同样，母亲的思想在影响自己身心健康的同时，也对孩子产生同样的影响，造成孩子出现一样的症状。

长期的嫉妒、自私、憎恨之心，会导致人们出现多种形式的肝脏功能损害以及消化不良。放任自己的情绪大起大落、无法控制情绪，会导致人体的神经系统遭到破坏，意志削弱，甚至产生严重的情绪失控状况。

人类的头号大敌就是担忧，它所带来的悲伤和痛苦，会在人的面容上刻出深深的皱纹，阻止人的消化器官正常运行，以致脑细胞和神经组织出现的问题，最后产生各种各样的疾病，甚至导致精神失常。愤怒则会让人的血压升高，严重的会导致心脏病突发，从而造就终生的遗憾。

无论因为什么原因而产生不良情绪和错误思想，都会不可避免地对人造成一定程度的身心伤害，并且短时期内难以愈合。与此同时，一个人的性格和品质都会受到一定的影响。每一次抱怨、发怒，每一次不满、挑剔，每一次不道德的行为，都会让你的身心蒙受不可挽回的损失。你的尊严、自信和力量，你的自我完善和自我提高的能力，也都同样会蒙受损失。而你也能够对这种损失有所意识，于是损失也就越来越大。

商业精英们会发现，在事情杂乱无章的状况下，一旦情绪失控、暴跳如雷，只会造成更大的混乱和损失更多的业务，而自己的身心健康同样也会受到危害。显而易见，这只是一种自我伤害的手段，不仅如此，它还损害了个人美好的发展前景，断送了成功的机会。

时时刻刻都要保持清醒的头脑，控制自己的情绪，这样才能成为一个成功者。伟大的成功者们必定也同样是一个伟大的思想家。他懂得保持正确的思想，摒弃错误的情绪，扫除所有有害于事业成功的不良因素。他们不会留下错误思想制造的隐患，不会让自己的前途受到威胁。

那些曾经叱咤风云的人物之所以后来落得一败涂地的下场，大部分原因都要归咎于他们不懂得控制自己的情绪，没有学会控制思想。他们在沮丧、忧郁、挫败面前屈服让步，随之对周围的一切都吹毛求疵。从对身边的每个人产生不满开始，随后逐渐形成了挖掘他人缺点的习惯。一旦放任这种状况发展下去，到了最后，就没有任何事情、任何人可以让他满意。原来跟随着他的老员工也开始逐渐疏远、离开他，而他的老客户也渐渐不再信赖他，事业也就这么不断地走着下坡路，生意开始逐渐黯淡下去。最后，他的债主也对他的偿还能力质疑，停止了贷款，断了他的资金周转链。失败吸引来了更多的失败，于是，他事业的大厦就此轰然倒塌。

自己的思想和情绪是可以被很好地控制的。我们想成为什么样的人，就可以做到、可以实现。在乐观向上、积极创新的思想带领下，我们就会创造出自己想要的条件和环境，创造出奇迹。而一切排斥和阻挡的势力都无从下手，都会被我们果断地阻止。

帕斯卡曾说："人是一种这样的动物，如果你告诉一个人说他是傻瓜，他便会相信这一点；无论你告诉他什么，他就会不由自主地表示相信，最起码会对之进行思考。"反之也是这样。许多人在自己做出错误举动之后，就陷入了深深的迷茫之中，徘徊又徘徊，找不到解决的办法。而他们却一点都没有意识到，犹豫会让一切都变得更加迷茫。总是对这些错误念念不忘，只会让错误永远地留在自己的心间，并刻上一道深深的印记。而这样的话，我们就会离自己的目标越来越远，总也看不到成功的尽头。必须控制不良情绪，消除邪恶心理，让自己的思想充满快乐、积极和幸福，这样，你就会看到成功的希望。

医生在拯救服毒自杀的病人时，会开出相应的解毒处方。同理，我们的思想一旦中了邪恶之毒，正确的思想就是解毒的唯一良方。倘若一个人身中愤怒之毒，燃烧着仇恨、嫉妒、复仇、猜忌的火焰，我们千万不能用同样的情绪去火上浇油。面对这些负面情绪的入侵，最好的天然解药便是充满爱的思想。

倘若你时常感到不快乐，对许多事情悲观失望，也无法控制自己的喜怒哀乐；倘若你习惯于对任何事都担忧不已、焦虑不安，或者有其他方面的因素影响你健康成长，你就应该试着尽量调节和控制自己的情绪，将不好的情绪转化为相反的一面，并且养成这种习惯。

倘若你总是觉得不满足，感觉一切都不尽如人意，那么你就要有所警惕了。你要明白，必须立即停止这种情绪和思想，阻止其蔓延开来，因为它们所造成的危害会越来越大，最后难以控制。在某一刻你感到沮丧时，你就要立即扭转这种情绪的方向，使之朝向相反的一面发展，想象着某种能够改变一切不愉快经历和心情的巨大力量。

当你的心灵被邪恶的思想占据时，告诉自己："这不是真实的。高贵的我当然不可能会有这种思想。我有着美好的本性，因此那些不良的思想永远也控制不了我。"

走出去看一看美丽的大自然，感受美好的事物，置身于浓厚的艺术氛围中，或者回忆幸福的过往，想想从前快乐的时光……又或者，你也可以阅读一些优美的篇章，听一听陶冶情操、催人奋进的音乐。多思考那些成功的事例，以此来激励自己驱除失败的想法。召唤希望，呼吁它前来帮助你，让你看到美好的明天、成功的未来。

当你的脑子里都是快乐的事情，你会发现，那些一开始入侵你头脑的不愉快已经通通都消失不见了，不良情绪也都会逃之夭夭。你会惊奇地发现，它们的天敌便是快乐，快乐的力量是无穷无尽的。你最好的守护者便是快乐、光明与和谐，而你最大的天敌就是黑暗、疾病与混乱，而这些天敌在守护者面前，没有任何藏身之地。

沮丧和愤怒会大量地消耗你的体力与活力，它们具有严重的破坏性。每一种不良情绪和错误思想都会破坏你的身心和谐，它们是在浪费你的生命力，削减你的成功力量。它们创造出一种消极的环境，而只有在积极主动的环境里，思想才能具有建设性，才能具有创新性。

像军官指挥士兵一样，你也要很好地支配自己的思想，控制自己的情绪。只有这样我们才能将事业做得更好。被自己的思想和情绪支配的人没有自由之身，他们是思想的奴隶，成就不了任何事。我们必须摆脱思想的控制，成为思想的主宰者，这样才能获得真正的自由和权力。一个人一旦在做任何事情时都要遵从自己的情绪，他就只能活在自己的牢狱中，无法成功也不能幸福。

现代社会的日新月异和残酷竞争，让所有的人不得不为了生存挤破脑袋、拼死挣扎。对他们进行仔细观察，我们可以发现，有些人冷静沉着、镇定自若，自信、坚定地迈出自己的每一步，脚踏实地地向前走去。这些人就已经懂得如何控制情绪，学会了正确运用思想，他们已经紧握住了开启成功大门的金钥匙。

我们要深知，必须摒弃所有关于自杀、自甘堕落的恶劣思想和情绪。哪怕是一秒钟的闪现都不允许。我们也不应该拥有忧郁、焦虑、猜忌的思想，妄想它们会带来什么好处，因为这就如想象着自己家里发生盗窃案一样愚蠢。

若想出人头地、获取成功，你就一定要谨记：控制住自己的情绪和思想。

生活的热忱

尼采

你们想要“顺其自然”的生活？噢，高尚的斯多葛派们，只会信口雌黄！想象自己是自然一样的存在物，无节制的奢侈、无限制的冷漠、没有目的、没有正义与同情，可怕而荒凉，并且流浪，想象自己是一股冷漠的力量——这种冷漠的生活你们怎么忍受？——人们的生活之所以存在不正是为了区别自然吗？难道生活不就是评价、选择所爱，不仗义，受限制，力图区别于自然的愿望吗？就算你们真的“顺应自然而生活”，你们又怎么活得跟它不一样？为什么你们要按照自己认可和不得不认可的事物造出一种原则？实际上，你们不是这样的：你们装作欣喜若狂，抬出自以为得自自然的规则，却干着相反的勾当——多么优秀的演员与自欺者！你们傲慢地在自然本身上强加你们的道德与意图，并自行定义道德理想为“顺应斯多葛的自然”，还要求一切生命按照你们的形象来塑造，以此象征某种斯多葛主义的永恒光辉与高唱赞歌！把自己束缚进对真理的热爱之中，如此长久而执着、如此死板而呆滞地以斯多葛式的眼光看待自然，以至于再也容不下另一种视角——甚至在某种无法言喻的傲慢的驱使下，让你们保持极端的希望，因为你们本身就在这种自虐中沉迷——斯多葛主义就是这样，同时也使自然充满暴虐之色——难道斯多葛派不是自然的一部分吗？……但这只不过是一个永恒的故事：斯多葛派过去发生的故事，今天仍在发生；只要有一种哲学开始自信，它就将按照自己的思维创造世界，不会有其他可能。哲学便是这施暴冲动的本身，便是最权威的意志，“创世”的欲望，探求首因的意志。

对于所谓的热忱与雅致，我甚至要用上“狡猾”一词。如今的人们，带着这种态度在欧洲各处寻找，以探求“现实世界与虚假世界”的课题，引发各种话题，让人驻足围观；无论是在台前还是幕后，如果一个人只听到一声“追求真理的意志”而听不见其他内容，一定不能吹嘘自己有一对灵敏的耳朵。事实上，在极个别的场合，这种追求真理的意志——某种放肆而满是冒险性质的勇气，某种形而上学者带有绝望色彩的坚持到底——确实有参与的可能。最终，他们宁可对满地的“确定性”抓住不放，也不愿对整车的可能性看上一眼。甚至还带着清教徒般的狂热劲儿，宁可死于无，也不愿理睬不确定之物。可这都是虚无主义，一种绝望而垂死的灵魂状态：即便这是源自美德而表现的勇敢。

然而，对于更为强势的，充满生机、渴望生命的思想家，或许会有不同的情况。他们党派不同，反对假象，以傲慢的口气谈论“透视法”，他们以对待“地球是静止的”这一假说的态度来估量自身肉体的可信性，并在这种态度的基础上得意洋洋地把最保险的占有物放跑了（目前还有什么比自己的肉体更可靠的呢？）。谁又能保证他们不是要把前人所占有的更为保险的事物抢回来呢？即以前的某种信仰，或者“不死的灵魂”，又或是“老朽的上帝”，总之就是某种观念。这些观念比“现代观念”能让他们生活得更好、更有活力、更快乐，不是吗？这既是对现代观念的一种不信任，也是对昨天与今天所建构的一切的非信仰；对于自己的轻率举动，他们或许会表现出厌烦与自嘲，并对乱七八糟、概念破烂的出身再也无法忍受。现在，它既是那些所谓的实证主义摆到市场上兜售的破烂货，又是被牵到繁杂的现实性哲学市场上的一头蠢驴。这些看似花样百出的东西，实际没有一点新意，也没有一点档次。在我看来，人们应该记住这个例子，去证明当今的（怀疑论的）反现实与认识的微观分析。他们的本能妥当地将它们同时髦的现实分离开来——我们才不关心他们倒退的秘密！他们并不是为了“后退”，而是离开。如果多一份力量、勇气与艺术家的才干，他们就会溜之大吉——而非后退！

随着日子往前走

陆小曼

实在不是我不写，更不是我不爱写：我心里实在是想写得不得了。自从你提起了写东西，我两年来死灰色的心灵里又好像闪出了一点儿光芒，手也不觉有点儿发痒，所以前天很坚决的答应了你两天内一定挤出一点东西。谁知道昨天勇气十足的爬上写字台，摆出了十二分的架子，好像一口气就可以写完我心里要写的一切。说也可笑，才起了一个头就有点儿不自在了：眼睛看在白纸上好像每个字都在那儿跳跃。我还以为是病后力弱眼花。不管他，还是往下写！再过一忽儿，就大不成样了：头晕，手抖，足软，心跳，一切的毛病像潮水似的都涌上来了，不要说再往下写，就是再坐一分钟都办不到。在这个时候，我只得掷笔而起，立刻爬上了床，先闭了眼静养半刻再说。

虽然眼睛是闭了，可是我的思潮像水波一般的在内心起伏，也不知道是怨，是恨，是痛，我只觉得一阵阵的酸味往我脑门里冲。

我真的变成了一个废物么？我真就从此完了么？本来这三年来病鬼缠得我求死不能，求生无味；我只能一切都不想，一切都不管，脑子里永远让他空洞洞的不存一点东西，不要说是思想一点都没有，连过的日子都不知道是几月几日，每天只是随着日子往前走，饿了就吃，睡够了就爬起来。灵魂本来是早就麻木的了，这三年来是更成死灰了。可是希望恢复康健是我每天在那儿祷颂着的。所以我什么都不做，连画都不敢动笔。一直到今年的春天，我才觉得有一点儿生气，一切都比以前好得多。在这个时候正碰到你来要我写点东西，我便很高兴的答应了你。谁知道一句话才出口不到半月，就又变了腔，说不出的小毛病又时常出现。真恨人，小毛病还不算，又来了一次大毛病，一直到今天病得我只剩下了一层皮一把骨头。我身心所受的痛苦不用说，而屡次失信于你的杂志却更使我说不出的不安。所以我今天睡在床上也只好勉力的给你写这几个字。人生最难堪的是心里要做而力量做不到的事情，尤其是我平时的脾气最不喜欢失信。我觉得答应了人家而不做是最难受的。

不过我想现在病是走了，就只人太瘦弱，所以一切没有精力。可是我想再休养一些时候一定可以复原了。到那时，我一定好好的为你写一点东西。虽然我写的不成文章，也不能算诗（前晚我还做了一首呢），可是他至少可以一泄我几年来心里的苦闷。现在虽然是精力不让我写，一半也由于我懒得动，因为一提笔，至少也要使我脑子里多加一层痛苦：手写就得脑子动，脑子一动一切的思潮就会起来，于是心灵上就有了知觉。我想还不如我现在似的老是食而不知其味的过日子好，你说是不是？

虽然躺着，还有点儿不得劲儿：好，等下次再写。

人类幸福的两个敌人是痛苦与厌倦

培根

只要略微考察一下就知道，人类的幸福有两个敌人：痛苦与厌倦。这就是说，即便我们幸运地离痛苦越来越远，但我们却是在向厌倦一步步靠近。如果远离了厌倦，我们就会更加靠近痛苦。生命呈现出两种状态，就是外在或客观、内在或主观，在这

两种状态中痛苦与厌倦都是对立的，因此生命本身也可以说成是在痛苦和厌倦的两端剧烈地来回摆动。贫穷和困乏带来痛苦；太过得意，又惹人生厌。因此，当下层阶级在与困乏作着无休止的斗争即痛苦挣扎时，上流社会却在和“厌倦”进行着持久战。

对于内在或主观的状态，对立的缘由是人的受容性与心灵能力成正比，不过个人对痛苦的受容性又与厌倦的受容性成反比。现作进一步解释：依据迟钝性的定义，迟钝就是指神经不受刺激，气质感觉不到痛苦或焦虑，而且不管后者多么强大，心灵空虚的主要原因是知识的迟钝，只有经常兴趣盎然地注意观察外在的细微事物，才能消除人们脸上表现出的空虚。心灵的空虚是厌倦的根源，就像兴奋之后的喘息，人们需要通过寻求某些事物来填补早已空白的内心。而所寻求的事物基本相似，看看人们沉迷的娱乐休闲方式，他们的社交娱乐方式和交流的内容不都是如出一辙吗？再看看有多少人站在阶前闲谈，又有多少人站在窗前向屋外凝望。因为内在的空洞，人们在寻求社交、娱乐、余兴以及种种享受时，就产生了奢侈浪费和灾祸。人们想要躲避灾祸的最好方法就是增长自己的心灵财富，心灵财富越多，厌倦所占据的地位就越小。那源源不绝的思考活动在丰富繁杂的自我与无所不有的大自然中寻找新的材料，构建新的组合，这样不停地鼓舞我们的心灵，如此，除了休闲时刻之外就不会再让厌倦有机可乘了。

不过，从另一个方面看，高度的才智植根于高度的受容性、强大的意志力和强烈的感情；这三者的结合体，让人容易动感情，对种种来自肉体和精神痛苦的敏感性也会相应增加，对阻碍不耐烦，而且厌恶挫折——这些性质又因为高度想象力的作用变得越发强大，使整个思潮（不愉快的思潮也包含其中），就好比真实的存在一样。上述的人性特质适用于每个人——不管是最笨

的人还是空前的超级天才。因此，不管是在主观还是客观方面，一个人靠近了痛苦就意味着远离了厌倦，反之也是一样。

人所具有的天赋气质决定了他受苦的种类，客观环境受主观倾向的影响，人们所采用的手段常常和他所遭受的苦难相抗衡，所以有些客观事件对人类具有特别的意义，有些也没有什么特别的意义，这都取决于天赋气质。聪明的人最初要努力争取的就是避免痛苦与烦恼的自由以求得安静和闲暇，减少和他人的接触，享受平静、节俭的生活。因此，智者在和他的同胞们相处了不长一段时间后就会隐退，如果他再具有极高的智慧，或许还会选择独居。一个人内在具备得越多，求之于他人的就会越小，他人带给自己的也就越少。因此，人的智慧越高越显得不合群。当然，如果智慧的“量”能够替代“质”，那么活在大世界里才算是划算，但很不幸，人世间的一百个傻子也不能替代一位智者。更不幸的是，人世间的傻子简直太多了。

那些总是受苦的人，他们如果脱离了让人困乏的苦痛，就会立刻无所顾忌地寻求娱乐消遣和社交，就怕要自己独处，与任何人都能处得来。就因为孤独时，人须委身于己，他内在财富的多少就暴露出来；愚笨的人，即使在着身穿华衣，也会因为自己卑微的性格而呻吟，这原本就是他没有办法脱弃的包袱，不过，对于才华出众之士来说，即便身处荒原，也不会感到孤独寂寞。色勒卡曾说，愚蠢是生命的包袱，这话简直是至理名言——都能与耶稣所说的话相媲美了。

四
享受简单生活的乐趣

我愿意深深地扎入生活，吮尽生活的骨髓，过得扎实，简单，把一切不属于生活的内容剔除得干净利落，把生活逼到绝处，用最基本的形式，简单，简单，再简单。

简单生活的乐趣

梭罗

当我写下这篇文章，以及后面的文字时，我一直独居在森林中的一间小木屋。这间小木屋是我亲手搭建的，它坐落在马萨诸塞州康科德镇的瓦尔登湖边。木屋周围一英里内，没有人烟，我一个人在这里辛勤劳动，自食其力，养活自己。我在这湖边住了

两年零两个月。如今，我又作为一名过客，回到了文明社会。

如果不是镇上的人对我心怀好奇，总想详细打听我过去的事，我是不会随便写下自己的私事来吸引读者的。一些人认为我很古怪，但我丝毫也不觉得。想到我曾经的境遇，我认为很自然，很合理。一些人问我在那儿吃什么，是否会感到寂寞、恐惧等等。另有一些人，对我的收入感兴趣——他们想知道我的收入中，有哪些捐赠给了慈善事业。还有一些生活在大家族的人，想知道我领养了几个穷苦的孩子。所以，当你在本书中看到我对这些问题的答复时，我恳请对我毫无兴趣的读者，对我加以谅解。很多书，都不用第一人称的“我”字，而我这本书，用了很多“我”字。事实上，我们经常忘记了这点：其实有很多书，都是

以第一人称“我”在讲述。我并不愿意谈自己。如果我对其他人的了解，能像我对自己的了解一样深刻的话，那么我就不会在这里口若悬河地说我自己了。遗憾的是我阅历不深，所以只能局限在这一个主题里，说一下自己了。但是，我希望每一个作家，不仅仅能描述他道听途说来的别人的生活故事，还能简单而真诚地写下自己的生活，就好像他从遥远的地方寄给亲人的信一样。我以为，如果一个人生活得真诚的话，就像他生活在一个很遥远的地方，时常关注着家乡亲朋的生活。以下章节的文字，也许更加适合生活境况不好的寒门学子。至于其他的读者，我想大家都会各取所需。因为，毕竟没人会强迫他穿上一件不适合他、明显会被他撑破的大衣。只有选择适合自己的文字，才能对自己有用。

Claude Monet .72

我要讲述的事情，与中国人和夏威夷岛人都没有关系，但却与你们，我这些文字的读者有关系。还有，与住在新英格兰的人们有密切的关系。这些事情，与读书，与你们的生活境遇有关，尤其与生活在这个时代的同一个镇上的居民有关，与他们的外部生活条件，或者说生活环境有关。生活在世间的人们，究竟该以一种什么样的姿态生活呢？大家都活得如此悲惨，这是否有必要呢？这种生活是否还有改善的可能？我在康科德镇曾涉足过许多地方：商店、办公室、郊外田野。我感觉这里的居民好像在赎罪一样，辛苦地履行着上千种令人惊奇的苦役。我曾经听说过婆罗门教的教徒，坐在熊熊的火焰中，两眼盯着太阳；或者在烈火之上，头朝下倒挂着身体；或者扭头望着青天，“一直到他们身体变得僵硬，再没有办法恢复原状，而且由于一直扭头看天，所以除非是液体，否则，什么食物都不能进入他们的胃里”；或者用一条铁链，把自己牢牢地束缚在一棵树下，终生不得解脱；或者如毛毛虫一样，用他们的身体来测量帝国辽阔的土地；或者单腿独立在柱顶上……然而，就算这种有意为之的赎罪苦行存在于这个世上，也未必比我每天看到的景象更加令人难以置信和胆战心惊。大力神赫拉克勒斯所完成的12种苦役，与我的邻居所从事的苦役相比，根本就不算什么。因为大力神一生也就12种苦役，做完就完事了，但我从来没有看到我的那些邻居们杀死或捕猎到一只怪兽，也从来没有看到他们做完任何苦役。他们也没有像伊俄拉斯这样的、对赫拉克勒斯忠诚的伙伴和朋友，他用一块滚烫的烙铁，去烙焦九头怪兽许德拉的头颅根部，以免那被赫拉克勒斯撕掉的头再长出来。虽然，他们知道，怪兽许德拉的头被割去后，还会在原来的地方再长出一个头来。

我觉得年轻人，即我的同乡们，他们的悲惨，在于一出生就自然而然地继承了土地、房屋、粮仓、牛群和农具，要放弃它们，远比得到它们更加困难。假如他们出生在广阔的牧场上，自小吃野狼的乳汁长大成人，或许会好些。这样他们就能够看清：自己是在什么样的环境中辛勤劳动，究竟是谁把他们变成了土地的奴隶。为什么有的人能依靠60英亩土地的供养，安然地享受生活，而更多的人，只能命中注定似的，与土地为伴、成天以尘埃为食呢？为什么他们刚刚降生到这个世界，就开始了自掘坟墓的生活呢？他们必须在生活中痛苦挣扎，被迫来忍受这一切，使足了力气，不停地做工，尽最大的努力让生活过得好一些。我曾遇到过许多令人悲悯的灵魂，他们被生活的重压压得苟延残喘，气喘吁吁、拼命地呼吸。他们在人生的路上拼命地爬着，去推动他们眼前的那个75英尺长、40英尺宽的巨大粮仓，还有那个从未清理过的奥吉亚斯牛圈，同时还要推动上百英亩的土地，耕地、草原、牧场，还有森林。还有一些人，并没有继承祖上的产业，虽然没有这种世代相传的、毫无理由的磨难，但也必须得为了养活自己几立方英尺的身体而委曲求全，精疲力竭地工作着。

人，就是在这样的一个错误下劳动的。身强力壮的身体，随着周而复始、日复一日的劳作，很快累趴下，被犁头耕进泥土，化作土中的肥料……如一本经书中所说，一种若有若无的、无法确定的、通常被称为“必然”的命运，操纵着人们，他们辛苦劳作之后所积累起来的财富，却被飞蛾、铁锈和霉斑一点点地腐蚀掉，甚至会招来撬开箱柜的盗贼。这不能不说是一个令人恼火而愚蠢的人生历程。如果说生前人们是迷糊的，那么到死后，到离开这个世界前，往往才会明白这个道理。传说中，杜卡利翁和彼尔把石头扔向身后，创造了人类。诗曰：

此后人类便成为坚强之物，
纵使千辛万苦，
人们在此处得到求证。
又如罗利豪迈而铿锵吟咏出的两句诗：
从此人心坚如磐石，可忍受磨难和艰辛，
证明我们的躯体原本是岩石。

这真是盲目啊，我们一直遵从了一个错误的神谕。把石头从头顶扔向身后，却不在乎它们，这些石头，到底会坠落到何处？

大多数人，即使是生活在这个相对自由的国家里的人们，也都因了愚蠢和错误，烦恼着无尽的烦恼，干着永远干不完的粗活，而从没想过，是否该停下来，采摘收拾一下他生命的甜蜜果实。他们的手指，因为操劳过度变得粗糙笨拙，甚至两手已经颤抖得很厉害，已经不适合采摘果实了。的确，辛苦劳动的人们，日复一日地劳作，根本抽不出空闲，来真正地完善自己的生活，体味人生的意义；他没有办法和能力，来维持人与人之间那种勇敢坚毅的关系；在市场上，他们的劳动果实又总会被贬值。他除了埋头做一台机器之外，没有时间去做别的事情。这样，他怎么可能感受或者说发现自己的愚笨呢？或者可以这么说，他是靠着自己的愚笨才活下来的。他有思考吗？他不可能有思考的时间，也没有那个习惯。在以这种标准评价他之前，我们必须要让他吃饱穿暖，使他恢复精力，心情愉悦。我们天性中最高尚的品质，就像果实上的那层白霜一样，只能细心温柔地呵护，才能维持它的鲜美。然而现实是，人与人之间，很难如此温柔地和谐相处。

可想而知，读者中有些人生活困窘，觉得活得很艰辛。甚至有时，感觉被生活压得喘不过气来，几近窒息了。我相信本书的读者中，一些人肯定已经没钱支付每天的餐费了，身上的衣服和鞋子很快磨损，甚至有些已经穿破了，但是没有钱去买新的，好不容易能读到这几页文字，还是从债主那里偷偷挤出来的时间。显然，我的观察力已经在岁月和阅历中磨砺得十分敏锐了。你们，过得如此卑微、如此暗无天日，朝不保夕！你们时常犹豫不决，期望做成一笔生意来还清债务。你们陷入了一个古老的泥潭中而无法自拔。就像拉丁文所说的aes alienum，在别人的铜钱中，有些钱币的确是用铜铸成的，而就在别人的铜钱中，你们生，你们死，最后被埋葬；你们许诺明天还清债务，接着是下一个明天，直到死亡，债务还未还清；你们祈求他们开恩，乞求他们怜悯，请求他们多关照，千方百计，总算没有被投入监狱；你们面不改色地撒谎欺骗，阿谀奉承，投票参选，把自己装进一个安分守己的硬壳里，或者吹捧自己，装出一副虚伪华而不实的慷慨大方的样子，从而取得你们邻居的信任，准许你们为他们制鞋、做帽，或缝制上衣，或制作马车，或为他们代买食品杂货；你们为了预防将来某一天患病而存钱，防患于未然，未雨绸缪，结果反而为了存钱把自己累病了。你们把钱塞在一只破旧箱子里，或者塞进泥墙后的一只袜子里，或者投进更安全的砖砌的“银行”里。那么小心翼翼，不论藏在哪里，必须安心才好，也不管自己所存的数目是那么的少。

有时我觉得奇怪，不免要问：为什么我们如此轻率，竟然建立起野蛮的奴隶制度？奴役了南北方奴隶的庄园地主们，是如此残酷冷漠。有一个南方的监守人本来已经很糟糕，而北方的监守人的出现，会让情况更加灿烂，难以忍受。但是最悲哀的是，你才是你自己最苛刻的监守人。不要讲什么人的神圣。看那大马路上赶马的车夫，日夜兼程地向市场赶路，他们的心里，有神圣的思想在流淌吗？他们的职责，无非就是赶马车，给骡马喂草饮水而已。与运输中那些巨大的牟利者比起来，他们的命运算什么呢？他们不就是在给一位忙碌的绅士赶驴马吗？在他们身上有高尚吗？有不朽吗？他们成天低眉顺眼，安分守己，忐忑不安，一点也不高尚、一点也不神圣。他们只看到自己所从事的职业，知道自己只属于奴隶或囚徒这个圈子。与自我认知相比，对于公众舆论这个暴戾的国王也显得软弱无能，无能为力，不堪一击。一个人对自己的期许和评价，决定了他的命运，预示了他的归宿。如果想在西印度的州省中畅谈心灵与思想的自我解放，即便是威勃尔福司到了那里，又能改变什么呢？我们再想想，这片大陆上的女人们，她们成天编织着梳妆用的垫子，以备死亡那天使用，却对自己的命运从来没有过认真的思考，仿佛这么得过且过、日复一日地蹉跎光阴，丝毫无损于心中的那个永恒。

大多数的人，过着沉闷而绝望的生活。所谓听天由命，正是一种习以为常的无奈和绝望。从绝望的城市走到绝望的村庄，人们在水貂和麝鼠的勇敢精神中寻求安慰。甚至，在人类所谓的游戏与娱乐背后，都暗藏着一种惯性的、下意识的绝望。所以在娱乐和游戏中，也不再有乐趣。因为，真正的乐趣，在工作后才能感受到。然而，工作也是有选择的，不去做让人绝望的工作，就是智慧生活的一种体现。

中国人“知足”的精义

林语堂

到了中国的游历家，尤其是那些任性深入的游历家，他们闯进了外人踪迹罕至的内地，无不大吃一惊。那里的农民群众生活程度如此之低，却人人埋头苦干，他们盖兴奋而知足。就像在大饥荒的省份，如陕西，此种知足精神，普遍地广播遐迩，除了极少数的例外；而且陕西的农民也还有能莞尔而笑的。

现在有许多为局外人认为中国人民之痛苦者乃系衡以邪僻的欧美生活标准之故耳。若欲处处衡以欧美生活标准，殊无人能感受幸福，除非少数阶级能住居于高级的大公寓而自备一架无线电收音机者。这个标准假使是正当，那么1850年以前就未尝有幸福之人，而美国之幸福人必尤多于巴威（Bavaria），因为巴威地方很少回转轻便的理发椅，当然更少电链和电铃。但在中国的乡村里头，这些设备可更少，虽然在极端欧化的上海，那些老式理发椅已经绝迹。其实这极老式理发椅才是货真价实的椅子，而这些老式椅子你倒可仍在伦敦的Kingswav和巴黎的Mrtroartre发现。照著者想来，一个人要坐还是坐一把名副其实的椅子，要睡还是睡在名副其实的床上（而不是白昼应用的沙发），这才觉得幸福些。一种生活标准，倘使拿每天使用机械设备的次数来测量一个人的文明程度的那种标准，一定是不可靠的标准。故许多所谓中国人知足之神秘，乃出自西方人之幻觉耳。

然无论如何，倘把中国人和西洋人分门别类，一阶级归一阶级，处之同一环境下，则中国人或许总是比西方人来得知足，那是不错的。此种愉快而知足的精神流露于智识阶级，也流露于非智识阶级，因为这是中国传统思想的渗透结果。可以到北平去看看著劲儿而多闲话的洋车夫，他们一路开着玩笑，最好让同伴翻个筋斗，好叫他笑个痛快。或则可以上牯岭去看看气喘喘汗流浃背抬你上山的轿夫；或则可以到四川去看看挽航船逆急流而上行的拉纤夫，他所能获得以维持每天生活的微薄报酬，仅足敷一天两顿菲薄而满意的苦饭。照中国知足原理上的见解，倘能够吃一顿菲薄而安逸的苦饭，吃了下肚不致担什么心事，便是大大运气。中国有位学者说过："人生但须果腹耳，此外尽属奢靡。"

知足又为"慈祥""和气"的代名词，此等字眼到了旧历新年，大家用朱红笺写在通行的门联里，这是一半为谦和的箴训，一半为人类智慧，明代学者即以此意劝人"惜福"。老子有句格言，现已成为普遍口头禅，叫做"知足不辱，知止不殆"。在文学里头，这个意识常转化而为田园思想，为乐天主义，吾人可于诗及私人书翰中常遇此等情绪。著者暇时尝于明人尺牍选集中拣出陆深致其友人书一篇，颇足以代表此等情绪：

> 晚将有佳月，别具画舫，载鼓吹同泛何如？昨致湖石数株，西堂添却一倍磊块新凉，能过我信宿留乎？兼制隐居冠服，待旦夕间命下，便作山中无事老人矣！

此种情绪当其渗入流行的学者思想，使他们安居茅舍之中而乐天知命。

人类的幸福是脆弱的物体，因为“神”老是嫉妒人类的幸福。幸福问题因而是人生不可捉摸的问题。人类对于一切文化与物质进步虽尽了全力，幸福问题毕竟值得人类一切智慧的最大关心以谋解决。中国人竭尽了他们的常识，下过最大毅力以谋求此幸福。好像功利主义之信徒，他们常热心于幸福问题，胜于物质进步问题。

罗素夫人曾聪慧地指出：“快乐的权利”在西方是一个被遗忘了的权利，从前到现在，一向未有人注意及之；西方人的心灵常被次一等的权利观念所支配着，他们注意于国家预算的表决权，宣战投票权，和被逮捕时应受审讯的私权。可是中国人从未想到逮捕时应受审讯的权利，而一意关心着快乐的幸福，这快乐不是贫穷也不是屈辱所能剥夺他们的。欧美人的处理幸福问题常取积极的态度，而中国人常取消极的态度，所以幸福问题最后可以收缩为个人的欲望问题。

可是一讲到欲望问题，吾人就感觉到茫无头绪，吾们真正所需的是什么呢？为了这个缘故，第俄泽尼（Diogenes）的故事常令吾人发笑，同时也着实又羡又妒，因为他宣称他是一个快活人，原因是他没有任何欲望。当他见了一个小孩子双手捧水而饮，索性把自己的饭碗也摔掉。现代的人们，常觉得自己困扰于许多难题中，而大部分与他的人生有密切之关系。他一方面羡慕第俄泽尼的逃禅的理想，同时又舍不得错过一场好戏或一张轰动的影片的机会，这就是吾们所谓的摩登人物之不安顿的心情。

中国人藉知足哲学消极地企求快乐，但其逃禅的程度尚未达到第俄泽尼之深，因为中国人任何事情从未想深进，中国人与第俄泽尼不同之点，即中国人到底还有一些欲望，还需要一些东西。不过他所欲望的只是足令他快乐的东西，而要是无法达到目的，则亦并无坚持之意。譬如他至少需要两件清洁的衬衫，但倘是真正穷得无法可想，则一件也就够了。他又需要看看名伶演剧，将藉此尽情地享乐一下，但倘令他必须离开剧场，不得享乐，则亦不衷心戚戚。他希望居屋的附近有几棵大树，但倘令是地位狭仄，则天井里种一株枣树也就够他欣赏。他希望有许多小孩子和一位太太，这位太太要能够替他弄几色配胃口的菜肴才好，假使他有钱的话，那还得雇一名上好厨子，加上一个美貌的使女，穿一条绯红色的薄裤，当他读书或挥毫作画的时候，焚香随侍；他希望得几个要好朋友和一个女人，这个女人要善解人意，最好就是他的太太，非然者，弄一个妓女也行，但倘是他的命宫中没有注定这一笔艳福，则也不衷心戚戚。他需要一顿饱餐，薄粥汤和咸萝卜干在中国倒也不贵，他又想弄一甏上好老酒，米酒往往是家常自酿了的，不然，几枚铜元也可以到汾酒铺去沽他妈的一大碗了；他又想过过闲暇的生活。而闲暇时间在中国也不稀罕，他将愉悦如小鸟，若他能：

因过竹院逢僧话，
偷得浮生半日闲。

倘使无福享受怡情悦性的花园，则他需要一间门虽设而常开的茅屋，位于群山之中，小川纡曲萦绕屋前，或则位于溪谷之间，晌午已过，可以拽杖闲游河岸之上，静观群鹅捕鱼之乐；但倘令无此清福而必须住居市尘之内，则也不致衷心戚戚，因为他至少总可得养一只笼中鸟，种几株盆景花，和一颗天上的明月，明月固人人可得而有之者也。故宋代诗人苏东坡就为了明月写了一篇美丽小巧的短文，叫做《记承天夜游》：

元丰六年十月十二日夜，解衣欲睡，月色入户，欣然起行；念无与乐者，遂至承天寺寻张怀民，怀民亦未寝，相与步于中庭，庭下如积水空明，水中藻荇交横，盖竹柏影也。何夜无月，何处无竹柏，但少闲人如吾两人耳。

一个强烈底决心，以摄取人生至善至美；一股殷热的欲望，以享乐一身之所有，但倘令命该无福可享，则亦不怨天尤人。这是中国人“知足”的精义。

人是不容易看清楚自己的

老舍

悲观有一样好处，它能叫人把事情都看轻了一些。这个可也就是我的坏处，它不起劲，不积极。您看我挺爱笑不是？因为我悲观。悲观，所以我不能扳起面孔，大喊：“孤——刘备！”我不能这样。一想到这样，我就要把自己笑毛咕了。看着别人吹胡子瞪眼睛，我从脊梁沟上发麻，非笑不可。我笑别人，因为我看不起自己。别人笑我，我觉得应该；说得天好，我不过是脸上平润一点的猴子。我笑别人，往往招人不愿意；不是别人的量小，而是不像我这样稀松，这样悲观。

我打不起精神去积极的干，这是我的大毛病。可是我不懒，凡是我该作的我总想把它作了，总算得点报酬养活自己与家里的人——往好了说，尽我的本分。我的悲观还没到想自杀的程度，不能不找点事作。有朝一日非死不可呢，那只好死喽，我有什么法儿呢？

这样，你瞧，我是无大志的人。我不想当皇上。最乐观的人才敢作皇上，我没这份胆气。

有人说我很幽默，不敢当。我不懂什么是幽默。假如一定问我，我只能说我觉得自己可笑，别人也可笑；我不比别人高，别人也不比我高。谁都有缺欠，谁都有可笑的地方。我跟谁都说得来，可是他得愿意跟我说；他一定说他是圣人，叫我三跪九叩报门而进，我没这个瘾。我不教训别人，也不听别人的教训。幽默，据我这么想，不是嬉皮笑脸，死不要鼻子。

也不是怎股子劲儿，我成了个写家。我的朋友德成粮店的写账先生也是写家，我跟他同等，并且管他叫二哥。既是个写家，当然得写了。“风格即人”——还是“风格即驴”？——我是怎个人自然写怎样的文章了。于是有人管我叫幽默的写家。我不以这为荣，也不以这为辱。我写我的。卖得出去呢，多得个三块五块的，买什么吃不香呢。卖不出去呢，拉倒，我早知道指着写文章吃饭是不易的事。

稿子寄出去，有时候是肉包子打狗，一去不回头；连个回信也没有。这，咱只好幽默；多喒见着那个骗子再说，见着他，大概我们俩总有一个笑着去见阎王的，不过，这是不很多见的，要不怎么我还没想自杀呢。常见的事是这个，稿子登出去，酬金就睡着了，睡得还是挺香甜。直到我也睡着了，它忽然来了，仿佛故意吓人玩。数目也惊人，它能使我觉得自己不过值一毛五一斤，比猪肉还便宜呢。这个咱也不说什么，国难期间，大家都得受点苦，人家开铺子的也不容易，掌柜的吃肉，给咱点汤喝，就得念佛。是的，我是不能当皇上，焚书坑掌柜的，咱没那个狠心，你看这个劲儿！不过，有人想坑他们呢，我也不便拦着。

这么一来，可就有许多人看不起我。连好朋友都说：“伙计，你也硬正着点，说你是为人类而写作，说你是中国的高尔基；你太泄气了！”真的，我是泄气，我看高尔基的胡子可笑。他老人家那股子自卖自夸的劲儿，打死我也学不来。人类要等着我写文章才变体面了，那恐怕太晚了吧？我老觉得文学是有用的；拉长了说，它比任何东西都有用，都高明。可是往眼前说，它不如一尊高射炮，或一锅饭有用。我不能吆喝我的作品是“人类改造丸”，我也不相信把文学杀死便天下太平。我写就是了。

别人的批评呢？批评是有益处的。我爱批评，它多少给我点益处；即使完全不对，不是还让我笑一笑吗？自己写的时候仿佛是蒸馒头呢，热气腾腾，莫名其妙。及至冷眼人一看，一定看出许多错儿来。我感谢这种指摘。说的不对呢，那是他的错儿，不干我的事。我永不驳辩，这似乎是胆儿小；可是也许是我的宽宏大量。我不便往自己脸上贴金。一件事总得由两面瞧，是不是？

对于我自己的作品，我不拿她们当作宝贝。是呀，当写作的时候，我是卖了力气，我想往好了写。可是一个人的天才与经验是有限的，谁也不敢保了老写的好，连荷马也有打盹的时候。有的人呢，每一拿笔便想到自己是但丁，是莎士比亚。这没有什么不可以的，天才须有自信的心。我可不敢这样，我的悲观使我看轻自己。我常想客观的估量估量自己的才力；这不易作到，我究竟不能像别人看我看得那样清楚；好吧，既不能十分看清楚了自己，也就不用装蒜，谦虚是必要的，可是装蒜也大可以不必。

对作人，我也是这样。我不希望自己是个完人，也不故意的招人家的骂。该求朋友的呢，就求；该给朋友作的呢，就作。作的好不好，咱们大家凭良心。所以我很和气，见着谁都能扯一套。可是，初次见面的人，我可是不大爱说话；特别是见着女人，我简直张不开口，我怕说错了话。在家里，我倒不十分怕太太，可是对别的女人老觉着恐慌，我不大明白妇女的心理；要是信口开河的说，我不定说出什么来呢，而妇女又爱挑眼。男人也有许多爱挑眼的，所以初次见面，我不大愿开口。我最喜辩论，因为红着脖子粗着筋的太不幽默。我最不喜欢好吹腾的人，可并不拒绝与这样的人谈话；我不爱这样的人，但喜欢听他的吹。最好是听着他吹，吹着吹着连他自己也忘了吹到什么地方去，那才有趣。

可喜的是有好几位生朋友都这么说："没见着阁下的时候，总以为阁下有八十多岁了。敢情阁下并不老。"是的，虽然将奔四十的人，我倒还不老。因为对事轻淡，我心中不大藏着计划，作事也无须要手段，所以我能笑，爱笑；天真的笑多少显着年青一些。我悲观，但是不愿老声老气的悲观，那近乎"虎事"。我愿意老年轻轻的，死的时候像朵春花将残似的那样哀而不伤。我就

怕什么“权威”咧，“大家”咧，“大师”咧，等等老气横秋的字眼们。我爱小孩，花草，小猫，小狗，小鱼；这些都不“虎事”。偶尔看见个穿小马褂的“小大人”，我能难受半天，特别是那种所谓聪明的孩子，让我难过。比如说，一群小孩都在那儿看变戏法儿，我也在那儿，单会有那么一两个七八岁的小老头说：“这都是假的！”这叫我立刻走开，心里堵上一大块。世界确是更“文明”了，小孩也懂事懂得早了，可是我还愿意大家傻一点，特别是小孩。假若小猫刚生下来就会捕鼠，我就不再养猫，虽然它也许是个神猫。

我不大爱说自己，这多少近乎“吹”。人是不容易看清楚自己的。不过，刚过完了年，心中还慌着，叫我写“人生于世”，实在写不出，所以就近的拿自己当材料。万一将来我不得已而作了皇上呢，这篇东西也许成为史料，等着瞧吧。

只想好好做一回父亲

朱自清

我现在已是五个儿女的父亲了。想起圣陶喜欢用的“蜗牛背了壳”的比喻，便觉得不自在。新近一位亲戚嘲笑我说，“要剥层皮呢！”更有些悚然了。十年前刚结婚的时候，在胡适之先生的

《藏晖室札记》里，见过一条，说世界上有许多伟大的人物是不结婚的；文中并引培根的话，“有妻子者，其命定矣。”当时确吃了一惊，仿佛梦醒一般；但是家里已是不由分说给娶了媳妇，又有甚么可说？现在是一个媳妇，跟着来了五个孩子；两个肩头上，加上这么重一副担子，真不知怎样走才好。“命定”是不用说了；从孩子们那一面说，他们该怎样长大，也正是可以忧虑的事。我是个彻头彻尾自私的人，做丈夫已是勉强，做父亲更是不成。自然，“子孙崇拜”，“儿童本位”的哲理或伦理，我也有些知道；既做着父亲，闭了眼抹杀孩子们的权利，知道是不行的。可惜这只是理论，实际上我是仍旧按照古老的传统，在野蛮地对付着，和普通的父亲一样。近来差不多是中年的人了，才渐渐觉得自己的残酷；想着孩子们受过的体罚和叱责，始终不能辩解——像抚

摩着旧创痕那样，我的心酸溜溜的。有一回，读了有岛武郎《与幼小者》的译文，对了那种伟大的，沉挚的态度，我竟流下泪来了。去年父亲来信，问起阿九，那时阿九还在白马湖呢；信上说，“我没有耽误你，你也不要耽误他才好。”我为这句话哭了一场；我为什么不像父亲的仁慈？我不该忘记，父亲怎样待我们来着！人性许真是二元的，我是这样地矛盾；我的心像钟摆似的来去。

你读过鲁迅先生的《幸福的家庭》么？我的便是那一类的“幸福的家庭”！每天午饭和晚饭，就如两次潮水一般。先是孩子们你来他去地在厨房与饭间里查看，一面催我或妻发“开饭”的命令。急促繁碎的脚步，夹着笑和嚷，一阵阵袭来，直到命令发出为止。他们一递一个地跑着喊着，将命令传给厨房里佣人；便立刻抢着回来搬凳子。于是这个说，“我坐这儿！”那个说，“大哥不让我！”大哥却说，“小妹打我！”我给他们调解，说好话。但是他们有时候很固执，我有时候也不耐烦，这便用着叱责了；叱责还不行，不由自主地，我的沉重的手掌便到他们身上了。于是哭的哭，坐的坐，局面才算定了。接着可又你要大碗，他要

小碗，你说红筷子好，他说黑筷子好；这个要干饭，那个要稀饭，要茶要汤，要鱼要肉，要豆腐，要萝卜；你说他菜多，他说你菜好。妻是照例安慰着他们，但这显然是太迂缓了。我是个暴躁的人，怎么等得及？不用说，用老法子将他们立刻征服了；虽然有哭的，不久也就抹着泪捧起碗了。吃完了，纷纷爬下凳子，桌上是饭粒呀，汤汁呀，骨头呀，渣滓呀，加上纵横的筷子，欹斜的匙子，就如一块花花绿绿的地图模型。吃饭而外，他们的大事便是游戏。游戏时，大的有大主意，小的有小主意，各自坚持不下，于是争执起来；或者大的欺负了小的，或者小的竟欺负了大的，被欺负的哭着嚷着，到我或妻的面前诉苦；我大抵仍旧要用老法子来判断的，但不理的时候也有。最为难的，是争夺玩具的时候：这一个的与那一个的是同样的东西，却偏要那一个的；而那一个便偏不答应。在这种情形之下，不论如何，终于是非哭了不可的。这些事件自然不至于天天全有，但大致总有好些起。我若坐在家里看书或写什么东西，管保一点钟里要分几回心，或站起来一两次的。若是雨天或礼拜日，孩子们在家的多，那么，摊开书竟看不下一行，提起笔也写不出一个字的事，也有过的。我常和妻说，“我们家真是成日的千军万马呀！”有时是不但“成日”，连夜里也有兵马在进行着，在有吃乳或生病的孩子的时候！

我结婚那一年，才十九岁。二十一岁，有了阿九；二十三岁，又有了阿菜。那时我正像一匹野马，那能容忍这些累赘的鞍鞯，辔头，和缰绳？摆脱也知是不行的，但不自觉地时时在摆脱着。现在回想起来，那些日子，真苦了这两个孩子；真是难以宽宥的种种暴行呢！阿九才两岁半的样子，我们住在杭州的学校里。不知怎地，这孩子特别爱哭，又特别怕生人。一不见了母亲，或来了客，就哇哇地哭起来了。学校里住着许多人，我不能让他扰着他们，而客人也总是常有的；我懊恼极了，有一回，特

地骗出了妻，关了门，将他按在地下打了一顿。这件事，妻到现在说起来，还觉得有些不忍；她说我的手太辣了，到底还是两岁半的孩子！我近年常想着那时的光景，也觉黯然。阿菜在台州，那是更小了；才过了周岁，还不大会走路。也是为了缠着母亲的缘故吧，我将她紧紧地按在墙角里，直哭喊了三四分钟；因此生了好几天病。妻说，那时真寒心呢！但我的苦痛也是真的。我曾给圣陶写信，说孩子们的折磨，实在无法奈何；有时竟觉着还是自杀的好。这虽是气愤的话，但这样的心情，确也有过的。后来孩子是多起来了，磨折也磨折得久了，少年的锋棱渐渐地钝起来了；加以增长的年岁增长了理性的裁制力，我能够忍耐了——觉得从前真是一个“不成材的父亲”，如我给另一个朋友信里所说。

但我的孩子们在幼小时，确比别人的特别不安静，我至今还觉如此。我想这大约还是由于我们抚育不得法；从前只一味地责备孩子，让他们代我们负起责任，却未免是可耻的残酷了！

正面意义的“幸福”，其实也未尝没有。正如谁所说，小的总是可爱，孩子们的小模样，小心眼儿，确有些教人舍不得的。阿毛现在五个月了，你用手指去拨弄她的下巴，或向她做趣脸，她便会张开没牙的嘴格格地笑，笑得像一朵正开的花。她不愿在屋里待着；待久了，便大声儿嚷。妻常说，“姑娘又要出去溜达了。”她说她像鸟儿般，每天总得到外面溜一些时候。闰儿上个月刚过了三岁，笨得很，话还没有学好呢。他只能说三四个字的短语或句子，文法错误，发音模糊，又得费气力说出；我们老是要笑他的。他说“好”字，总变成“小”字；问他“好不好？”他便说“小”，或“不小”。我们常常逗着他说这个字玩儿；他似乎有些

觉得，近来偶然也能说出正确的“好”字了——特别在我们故意说成“小”字的时候。他有一只搪瓷碗，是一毛来钱买的；买来时，老妈子教给他，“这是一毛钱。”他便记住“一毛”两个字，管那只碗叫“一毛”，有时竟省称为“毛”。这在新来的老妈子，是必需翻译了才懂的。他不好意思，或见着生客时，便咧着嘴痴笑；我们常用了土话，叫他做“呆瓜”。他是个小胖子，短短的腿，走起路来，蹒跚可笑；若快走或跑，便更“好看”了。他有时学我，将两手叠在背后，一摇一摆的；那是他自己和我们都要乐的。他的大姊便是阿菜，已是七岁多了，在小学校里念着书。在饭桌上，一定得啰啰唆唆地报告些同学或他们父母的事情；气喘喘地说着，不管你爱听不爱听。说完了总问我：“爸爸认识么？”“爸爸知道么？”妻常禁止她吃饭时说话，所以她总是问我。她的问题真多：看电影便问电影里的是不是人？是不是真人？怎么不说话？看照相也是一样。不知谁告诉她，兵是要打人的。她回来便问，兵是人么？为什么打人？近来大约听了先生的话，回来又问张作霖的兵是帮谁的？蒋介石的兵是不是帮我们的？诸如此类的问题，每天短不了，常常闹得我不知怎样答才行。她和闰儿在一处玩儿，一大一小，不很合式，老是吵着哭着。但合式的时候也有：譬如这个往床底下躲，那个便钻进去追着；这个钻出来，那个也跟着——从这个床到那个床，只听见笑着，嚷着，喘着，真如妻所说，像小狗似的。现在在京的，便只有这三个孩子；阿九和转儿是去年北来时，让母亲暂时带回扬州去了。

阿九是欢喜书的孩子。他爱看《水浒》,《西游记》,《三侠五义》,《小朋友》等；没有事便捧着书坐着或躺着看。只不欢喜《红楼梦》，说是没有味儿。是的，《红楼梦》的味儿，一个十岁的孩

子，哪里能领略呢？去年我们事实上只能带两个孩子来；因为他大些，而转儿是一直跟着祖母的，便在上海将他俩丢下。我清清楚楚记得那分别的一个早上。我领着阿九从二洋泾桥的旅馆出来，送他到母亲和转儿住着的亲戚家去。妻嘱咐说，“买点吃的给他们吧。”我们走过四马路，到一家茶食铺里。阿九说要熏鱼，我给买了；又买了饼干，是给转儿的。便乘电车到海宁路。下车时，看着他的害怕与累赘，很觉恻然。到亲戚家，因为就要回旅馆收拾上船，只说了一两句话便出来；转儿望望我，没说什么，阿九是和祖母说什么去了。我回头看了他们一眼，硬着头皮走了。后来妻告诉我，阿九背地里向她说：“我知道爸爸欢喜小妹，不带我上北京去。”其实这是冤枉的。他又曾和我们说，“暑假时一定来接我啊！”我们当时答应着；但现在已是第二个暑假了，他们还在迢迢的扬州待着。他们是恨着我们呢？还是惦着我们呢？妻是一年来老放不下这两个，常常独自暗中流泪；但我有什么法子呢！想到“只为家贫成聚散”一句无名的诗，不禁有些凄然。转儿与我较生疏些。但去年离开白马湖时，她也曾用了生硬的扬州话（那时她还没有到过扬州呢），和那特别尖的小嗓子向着我：“我要到北京去。”她晓得什么北京，只跟着大孩子们说罢了；但当时听着，现在想着的我，却真是抱歉呢。这兄妹俩离开我，原是常事，离开母亲，虽也有过一回，这回可是太长了；小小的心儿，知道是怎样忍耐那寂寞来着！

我的朋友大概都是爱孩子的。少谷有一回写信责备我，说儿女的吵闹，也是很有趣的，何至可厌到如我所说；他说他真不解。子恺为他家华瞻写的文章，真是“蔼然仁者之言”。圣陶也常常为孩子操心：小学毕业了，到什么中学好呢？——这样的话，他和我说过两三回了。我对他们只有惭愧！可是近来我也渐渐觉着自己的责任。我想，第一该将孩子们团聚起来，其次便该给他们些力量。我亲眼见过一个爱儿女的人，因为不曾好好地教育他们，便将他们荒废了。他并不是溺爱，只是没有耐心去料理他们，他们便不能成材了。我想我若照现在这样下去，孩子们也便危险了。我得计划着，让他们渐渐知道怎样去做人才行。但是要不要他们像我自己呢？这一层，我在白马湖教初中学生时，也曾从师生的立场上问过丏尊，他毫不踌躇地说，“自然啰。”近来与平伯谈起教子，他却答得妙，“总不希望比自己坏啰。”是的，只要不“比自己坏”就行，“像”不“像”倒是不在乎的。职业，人生观等，还是由他们自己去定的好；自己顶可贵，只要指导，帮助他们去发展自己，便是极贤明的办法。

予同说，“我们得让子女在大学毕了业，才算尽了责任。”SK说，“不然，要看我们的经济，他们的材质与志愿；若是中学毕了

业，不能或不愿升学，便去做别的事，譬如做工人吧，那也并非不行的。”自然，人的好坏与成败，也不尽靠学校教育；说是非大学毕业不可，也许只是我们的偏见。在这件事上，我现在毫不能有一定的主意；特别是这个变动不居的时代，知道将来怎样？好在孩子们还小，将来的事且等将来吧。目前所能做的，只是培养他们基本的力量——胸襟与眼光；孩子们还是孩子们，自然说不上高的远的，慢慢从近处小处下手便了。这自然也只能先按照我自己的样子：“神而明之，存乎其人，”光辉也罢，倒楣也罢，平凡也罢，让他们各尽各的力去。我只希望如我所想的，从此好好地做一回父亲，便自称心满意。——想到那“狂人”“救救孩子”的呼声，我怎敢不悚然自勉呢？

志摩的信：给抱怨生活干燥的朋友

徐志摩

得到你的信，像是掘到了地下的珍藏，一样的希罕，一样的宝贵。

看你的信，像是看古代的残碑，表面是模糊的，意致却是深微的。

又像是在尼罗河旁边幕夜，在月亮正照着金字塔的时候，梦见一个穿黄金袍服的帝王，对着我作谜语，我知道他的意思，他说："我无非是一个体面的木乃伊；"

又像是我在这重山脚下半夜梦醒时，听见松林里夜鹰的Soprano，可怜的遭人厌毁的鸟，他虽则没有子规那样天赋的妙舌，但我却懂得他的怨愤，他的理想，他的急调是他的嘲讽与咒诅；我知道他怎样的鄙蔑一切，鄙蔑光明，鄙蔑烦嚣的燕雀，也鄙弃自喜的画眉；又像是我在普陀山发现的一个奇景；外面看是一大块岩石，但里面却早被海水蚀空，只剩罗汉头似的一个脑壳，每次海涛向这岛身搂抱时，发出极奥妙的音响，像是情话，像是咒诅，像是祈祷，在雕空的石笋、钟乳间呜咽，像大和琴的谐音在皋雪格的古寺的花椽、石楹间回荡——但除非你有耐心与勇气，攀下几重的石岩，俯身下去凝神的察看与倾听，你也许永远不会想象，不必说发现这样的秘密；又像是……但是我知道，朋友，你已经听够了我的比喻。也许你愿意听我自然的嗓音与不做作的语调，不愿意收受用幻想的亮箔包裹着的话，虽则，我不能不补一句，你自己就是最喜欢从一个弯曲的白银喇叭里，吹弄你的古怪的调子。

你说："风大土大，生活干燥。"这话仿佛是一阵奇怪的凉风，使我感觉一个恐怖的战栗；像一团飘零的秋叶，使我的灵魂里掉下一滴悲悯的清泪。

我的记忆里，我似乎自信，并不是没有葡萄酒的颜色与香味，并不是没有妩媚的微笑的痕迹，我想我总可以抵抗你那句灰色的语调的影响——是的，昨天下午我在田里散步的时候，我不是分明看见两块凶恶的黑云消灭在太阳猛烈的光焰里，五只小山羊，兔子一样的白净，听着她们妈的吩咐在路旁寻草吃，三个捉草的小孩在一个稻屯前抛掷镰刀；自然的活泼给我不少的鼓舞，我对着白云里矗着的宝塔喊说我知道生命是有意趣的。

今天太阳不曾出来。一捆捆的云在空中紧紧的挨着，你的那句话碰巧又添上了几重云蒙，我又疑惑我昨天的宣言了。

我也觉得奇怪，朋友，何以你那句话在我的心里，竟像白垩涂在玻璃上，这半透明的沉闷是一种很巧妙的刑罚；我差不多要喊痛了。

我向我的窗外望，暗沉沉的一片，也没有月亮，也没有星光，日光更不必想，他早已离别了，那边黑蔚蔚的是林子，树上，我知道，是夜鹗的寓处，树下累累的在初夜的微芒中排列着。我也知道，是坟墓，僵的白骨埋在硬的泥里，磷火也不见一星，这样的静，这样的惨，黑夜的胜利是完全的了。

我闭着眼向我的灵府里问讯，呀，我竟寻不到一个与干燥脱离的生活的意象，干燥像一个影子，永远跟着生活的脚后，又像是葱头的葱管，永远附着在生活的头顶，这是一件奇事。

朋友，我抱歉，我不能答复你的话，虽则我很想，我不是爽恺的西风，吹不散天上的云罗，我手里只有一把粗拙的泥锹，如其有美丽的理想或是希望要埋葬，我的工作倒是现成的——我也有过我的经验。

朋友，我并且恐怕，说到最后，我只得收受你的影响，因为你那句话已经凶狠的咬入我的心里，像一个有毒的蝎子，已经沉沉的压在我的心上，像一块盘陀石，我只能忍耐，我只能忍耐……

永远的憧憬和追求

萧红

一九一一年，在一个小县城里边，我生在一个小地主的家里。那县城差不多就是中国的最东最北部——黑龙江省——所以一年之中，倒有四个月飘着白雪。

父亲常常为着贪婪而失掉了人性。他对待仆人，对待自己的儿女，以及对待我的祖父都是同样的吝啬而疏远，甚至于无情。

有一次，为着房屋租金的事情，父亲把房客的全套的马车赶了过来。房客的家属们哭着诉说着，向我的祖父跪了下来，于是祖父把两匹棕色的马从车上解下来还了回去。

为着这匹马，父亲向祖父起着终夜的争吵。“两匹马，咱们是算不了什么的，穷人，这匹马就是命根。”祖父这样说着，而父亲还是争吵。九岁时，母亲死去。父亲也就更变了样，偶然打碎了一只杯子，他就要骂到使人发抖的程度。后来就连父亲的眼睛也转了弯，每从他的身边经过，我就像自己的身上生了针刺一样；他斜视着你，他那高傲的眼光从鼻梁经过嘴角而后往下流着。

所以每每在大雪中的黄昏里，围着暖炉，围着祖父，听着祖父读着诗篇，看着祖父读着诗篇时微红的嘴唇。

父亲打了我的时候，我就在祖父的房里，一直面向着窗子，从黄昏到深夜——窗外的白雪，好像白棉花一样飘着；而暖炉上水壶的盖子，则像伴奏的乐器似的振动着。

祖父时时把多纹的两手放在我的肩上，而后又放在我的头上，我的耳边便响着这样的声音：“快快长吧！长大就好了。”

二十岁那年，我就逃出了父亲的家庭。直到现在还是过着流浪的生活。

“长大”是“长大”了，而没有“好”。

可是从祖父那里，知道了人生除掉了冰冷和憎恶而外，还有温暖和爱。

所以我就向这“温暖”和“爱”的方面，怀着永久的憧憬和追求。

看见事物的本身的真相

丰子恺

晚上喝了三杯老酒，不想看书，也不想睡觉，捉一个四岁的孩子华瞻来骑在膝上，同他寻开心。我随口问：“你最喜欢甚么事？”

他仰起头一想，率然地回答：“逃难。”

我倒有点奇怪：“逃难”两字的意义，在他不会懂得，为甚么偏偏选择它？倘然懂得，更不应该喜欢了。我就设法探问他：

“你晓得逃难就是甚么？”

“就是爸爸、妈妈、宝姊姊、软软……娘姨，大家坐汽车，去看大轮船。”

啊！原来他的“逃难”的观念是这样的！他所见的“逃难”，是“逃难”的这一面！这真是最可喜欢的事！

一个月以前，上海还属孙传芳的时代，国民革命军将到上海的消息日紧一日，素不看报的我，这时候也定一份《时事新报》，每天早晨看一遍。有一天，我正在看昨天的旧报，等候今天的新报的时候，忽然上海方面枪炮声响了，大家惊惶失色，立刻约了邻人，扶老携幼地逃到附近江湾车站对面的妇孺救济会里去躲避。其实倘然此地果真进了战线，或到了败兵，妇孺救济会也是不能救济的。不过当时张遑失措，有人提议这办法，大家就假定它为安全地带，逃了进去。那里面地方大，有花园、假山、小川、亭台、曲栏、长廊、花树、白鸽，孩子一进去，登临盘桓，快乐得如入新天地了。忽然兵车在墙外过，上海方面的机关枪声、炮声，愈响愈近，又愈密了。大家坐定之后，听听，想想，方才觉得这里也不是安全地带，当初不过是自骗罢了。有决断的人先出来雇汽车逃往租界。每走出一批人，留在里面的人增一次恐慌。我们集合邻人来商议，也决定出来雇汽车，逃到杨树浦的沪江大学。于是立刻把小孩们从假山中、栏杆内捉出来，装进汽车里，飞奔杨树浦了。

所以决定逃到沪江大学者，因为一则有邻人与该校熟识，二则该校是外国人办的学校，较为安全可靠。枪炮声渐远弱，到听不见了的时候，我们的汽车已到沪江大学。他们安排一个房间给我们住，又为我们代办膳食。傍晚，我坐在校旁黄浦江边的青草堤上，怅望云水遥忆故居的时候，许多小孩子采花、卧草，争看无数的帆船、轮船的驶行，又是快乐得如入新天地了。

次日，我同一邻人步行到故居来探听情形的时候，人人面有喜色，似乎从此可庆承平了。我们就雇汽车去迎回避难的眷属，重开我们的窗户，恢复我们的生活。从此“逃难”两字就变成家人的谈话的资料。

这是“逃难”。这是多么惊慌，紧张而忧患的一种经历！然而人物一无损丧，只是一次虚惊；过后回想，这回好似全家的人突发地出门游览两天。我想假如我是预言者，晓得这是虚惊，我在逃难的时候将何等有趣！素来难得全家出游的机会，素来少有坐汽车、游览、参观的机会。那一天不论时，不论钱，浪漫地、豪爽地、痛快地举行这游历，实在是人生难得的快事！只有小孩子真果感得这快味！他们逃难回来以后，常常拿香烟簏子来叠作栏杆、小桥、汽车、轮船、帆船；常常问我关于轮船、帆船的事；墙壁上及门上又常常有有色粉笔画的轮船、帆船、亭子、石桥的壁画出现。可见这“逃难”，在他们脑中有难忘的欢乐的印象。所以今晚我无端地问华瞻最欢喜甚么事，他立刻选定这“逃难”。原来他所见的，是“逃难”的这一面。

不止这一端：我们所打算、计较、争夺的洋钱，在他们看来个个是白银的浮雕的胸章；仆仆奔走的行人，扰扰攘攘的社会，在他们看来都是无目的地在游戏，在演剧；一切建设，一切现象，在他们看来都是大自然的点缀，装饰。

唉！我今晚受了这孩子的启示：他能撤去世间事物的因果关系的网，看见事物的本身的真相。我在世智尘劳的实生活中，也应该懂得这撤网的方法，暂时看看事物本身的真相。唉，我要向他学习！

绝望之为虚妄，正与希望相同

鲁迅

我的心分外地寂寞。

然而我的心很平安；没有爱憎，没有哀乐，也没有颜色和声音。

我大概老了。我的头发已经苍白，不是很明白的事么？我的手颤抖着，不是很明白的事么？那么我的灵魂的手一定也颤抖着，头发也一定苍白了。

然而这是许多年前的事了。

这以前，我的心也曾充满过血腥的歌声：血和铁，火焰和毒，恢复和报仇。而忽然这些都空虚了，但有时故意地填以没奈何的自欺的希望。希望，希望，用这希望的盾，抗拒那空虚中的暗夜的袭来，虽然盾后面也依然是空虚中的暗夜。然而就是如此，陆续地耗尽了我的青春。

我早先岂不知我的青春已经逝去？但以为身外的青春固在：星，月光，僵坠的蝴蝶，暗中的花，猫头鹰的不祥之言，杜鹃的啼血，笑的渺茫，爱的翔舞。……虽然是悲凉漂渺的青春罢，然而究竟是青春。

然而现在何以如此寂寞？难道连身外的青春也都逝去，世上的青年也多衰老了么？

我只得由我来肉搏这空虚中的暗夜了。我放下了希望之盾，我听到 Petőfi Sándor（1823—1849）的“希望”之歌：

希望是什么？是娼妓：
她对谁都蛊惑，将一切都献给；
待你牺牲了极多的宝贝——你的青春
——她就抛弃你。

这伟大的抒情诗人，匈牙利的爱国者，为了祖国而死在可萨克兵的矛尖上，已经七十五年了。悲哉死也，然而更可悲的是他的诗至今没有死。

但是，可惨的人生！桀骜英勇如Petőfi，也终于对了暗夜止步，回顾茫茫的东方了。他说：

绝望之为虚妄，正与希望相同。

倘使我还得偷生在不明不暗的这“虚妄”中，我就还要寻求那逝去的悲凉漂渺的青春，但不妨在我的身外。因为身外的青春倘一消灭，我身中的迟暮也即凋零了。

然而现在没有星和月光，没有僵坠的蝴蝶以至笑的渺茫，爱的翔舞。然而青年们很平安。

我只得由我来肉搏这空虚中的暗夜了，纵使寻不到身外的青春，也总得自己来一掷我身中的迟暮。但暗夜又在哪里呢？现在没有星，没有月光以至没有笑的渺茫和爱的翔舞；青年们很平安，而我的面前又竟至于并且没有真的暗夜。

绝望之为虚妄，正与希望相同！

人生

林徽因

人生，
你是一支曲子，
我是歌唱的；
你是河流
我是条船，一片小白帆
我是个行旅者的时候，
你，田野，山林，峰峦。

无论怎样，
颠倒密切中牵连着
你和我，
我永从你中间经过；

我生存，

你是我生存的河道，

理由同力量。

你的存在

则是我胸前心跳里

五色的绚彩

但我们彼此交错

并未彼此留难。

……

现在我死了，

你，——

我把你再交给他人负担！

夜莺颂

济慈

1

我心痛，困倦与沉寂刺痛了我，
那痛楚，好似饮下了剧毒的酒，
或是因为吞服了鸦片而被消耗殆尽
片刻，我便沉入了忘川列溪：
并非嫉妒你的幸福，
恰是你的快乐令我格外欢欣——
你呀你，身披薄翼的树林精灵。
清亮的嗓音悠扬流转，
山毛榉的浓荫中充盈着灵动的乐音，
你放声高歌，唱诵夏天。

2

呵……来轻啜一口这美酒！这甘霖
经年冷藏在深深的地下，
只需一口，便如见到了花神和那绿意盎然城邦，
舞蹈，恋歌吟唱，灿烂骄阳！
哦，来吧，饮下这装满杯中的南部的温暖，
装满的艳红、清冽的神灵之泉，
以及在杯口隐现明灭的泡沫，
宛若珍珠，又将双唇染成紫色；
我要一饮而尽，再悄然离去，
与你一同消失在那深林暗处。

3

远远地消逝，弥散，全然忘失，
在丛林中的你对此一无所知，
这尘世间的疲倦、病痛和烦恼，
在这儿，人们对坐而悲叹相诉，
麻痹瘫痪的人，只有凌乱灰白的发丝在飘动；
在这儿，青春渐行渐远，苍白消逝直至灭亡；
在这儿，思绪中充满的全是遗憾，
忧伤和绝望呆滞的目光，
在这儿，美人留不住双眸的华彩，

新生的爱情也在朝夕间憔悴枯萎。

4

去吧！去吧！我飞向你那里，
须需搭乘酒神那猎豹的座驾，
而是凭借灵妙诗句的无形双翅起航，
尽管乏味的头脑中满是疲乏困顿：
我却已经来到你身边！夜色祥和安宁，
恰似月宫女王正在登上宝座，
群星仙子一般簇拥着她，
可是这里却不甚明亮，
微风拂来从天堂散落的朦胧微光，
透出幽深的绿意，青苔曲径若隐若现。

5

我认不出脚边开放的是什么花，
也闻不出枝头的嫩蕊飘散的是什么香；
我只能在幽暗中默默猜想那芬芳，
这样的季节里该是何样的韶华美韵，
分封给了这草地，林莽，和原野中的果木，
那白色的山楂花，和田园间的野蔷薇，
易谢的紫罗兰隐现在绿叶中，

还有那五月中旬的宠儿——
承欢戴露满载甘霖的麝香玫瑰，
夏夜里这儿成了蚊蝇嗡嘤盘桓的领地。

6
暗夜中我聆听着；啊，有多少次了
我几乎爱上了安逸的死亡，
我用尽诗句辞藻去呼唤他柔软的名字，
请他带着我的气息一起融进空明；
然而此刻，死亡是多么的华丽盛大：
毫无痛苦地在午夜安然而去，
你呢，正倾诉宣泄着你的灵魂
如痴如狂！
你将高歌依旧，而我却再也无法倾听——
那高亢的安魂曲也只能唱给一抔泥土。

7
啊，你将永生，这不死的精魂！
饥饿的年代也无法令你屈服；
我听见往昔的夜晚听过的歌声
曾在遥远的过去打动了帝王和村夫。
大概这歌声也同样激荡过路得，

她充满忧思的心，怀念着家乡，
站在异乡的麦田里泪流满面；
也是这歌声，许多次
令那被禁锢的“窗里人”迷醉，她推开窗——
无际大海中浪涛汹涌，仙乡失落汪洋。

8

失落！宛若一声闷响的洪钟，
它在催促我回到孤独的自己！
别了！都是幻想，这个骗人的小妖，
她浪得虚名，再不能施展伎俩。
别了！别了！你幽怨的歌声渐远，
流过近地草坡，越过静静溪流，
飘升到了山坡，而今却已深深地
掩埋在了附近的山谷：
这究竟是幻觉，还是醒时的梦境？
那乐音远去——我是醒着，还是在梦乡？